W9-DAO-615

BALZAC.

Heath's Modern Language Series

LE CURÉ DE TOURS

(edited)

PAR

HONORÉ DE BALZAC

EDITED WITH NOTES AND VOCABULARY

BY

O. B. SUPER

WHEN PROFESSOR OF ROMANCE LANGUAGES IN DICKINSON COLLEGE

D. C. HEATH & CO., PUBLISHERS
BOSTON   NEW YORK   CHICAGO

INTRODUCTION

Honoré de Balzac, the greatest novelist of France and perhaps of the world, was born in Tours, in 1799, and died in Paris,
in 1850. He was trained as a lawyer but early devoted himself
to literature, yet at first without much success. He lived for
years in a garret, subsisting with difficulty, but with a profound
faith in himself he continued to write. From 1822 to 1827 he
published several stories, all under an assumed name, but with
Les Chouans, published in 1827, begins the long list of works
signed with his own name. In 1830 appeared *La Peau de chagrin*,
which placed its author in the front rank of French novelists.

In addition to numerous short stories, mostly included in his
Contes drolatiques, his novels number more than fifty titles, of
which the following are some of the most important, given in
the order of their publication: *La Peau de chagrin, Le Colonel
Chabert, Le Curé de Tours, Eugénie Grandet, Séraphita, La
Recherche de l'absolu, Le Père Goriot, César Birotteau, Les Pa-
rents pauvres (Le Cousin Pons, La Cousine Bette)*.

All of these are included in the vast scheme called *La Comédie humaine* which is "like a tower of Babel that the hand
of the architect had not, and never could have had time to finish.
Some walls seem ready to fall with age. The builder has taken
whatever material fell to his hand, plaster, cement, stone, marble,
even sand and mud from the ditch, and has built his gigantic
tower, not always heeding harmony of lines or balanced proportions, mingling with the careless power of genius the grandiose
and the vulgar, the exquisite and the barbarous, the good and
the bad. And so it remains today one of those cyclopean monuments, full of splendid halls and wretched corners, divided by

broad corridors and narrow passages, with superpiled stories in varied architecture. You may lose your way in it twenty times, and always feel that there are still undiscovered miseries and splendors. It is a world, a human creation, built by a marvelous mason who, at times, was an artist. Time has worn holes in it. A cornice has fallen here and there, but the marble stands whitened by time. The workman has built his tower with such an instinct of the great and eternal that, when the mud and sand have been washed away, the monument will still appear on the horizon like the silhouette of a city." *

Balzac undertook, with infinite industry, to compose for nineteenth century France a history of its morals, to "draw up the inventory of its vices and virtues" and lay bare the greed and social ambition that seemed to him the mainspring of its activities. In doing this, it must be confessed that he saw more vices than virtues, so that he can hardly be successfully defended from the charge of immorality and the reading of his works is likely to leave a disagreeable impression on the mind of the reader.

O. B. S.

DICKINSON COLLEGE, November, 1909.

* Wells's *Modern French Literature.*

LE CURÉ DE TOURS[1]

Au commencement de l'automne de l'année 1826, l'abbé[2]
Birotteau, principal personnage de cette histoire, fut surpris par une averse en revenant de la maison où il était
allé passer la soirée. Il traversait donc, aussi promte-
ment que son embonpoint pouvait le lui permettre, la 5
petite place déserte nommée *le Cloître*, qui se trouve derrière le chevet[3] de Saint-Gatien,[4] à Tours.

L'abbé Birotteau, petit homme court, de constitution
apoplectique, âgé d'environ soixante ans, avait déjà subi
plusieurs attaques de goutte. Or, entre toutes les petites 10
misères de la vie humaine, celle pour laquelle le bon prêtre éprouvait le plus d'aversion, était le subit arrosement
de ses souliers à larges agrafes d'argent et l'immersion de
leurs semelles. En effet, malgré les chaussons de flanelle
dans lesquels il empaquetait en tout temps ses pieds avec 15
le soin que les ecclésiastiques prennent d'eux-mêmes, il y
gagnait toujours un peu d'humidité; puis, le lendemain,
la goutte lui donnait infailliblement quelques preuves de
sa constance. Néanmoins, comme le pavé du Cloître est
toujours sec, que[5] l'abbé Birotteau avait gagné trois livres 20
dix sous au whist chez madame de Listomère, il endura la
pluie avec résignation depuis le milieu de la place de l'Archevêché,[6] où elle avait commencé à tomber en abon-

dance. En ce moment, il caressait d'ailleurs sa chimère, un désir déjà vieux de douze ans, un désir de prêtre! un désir qui, formé tous les soirs, paraissait alors près de s'accomplir; enfin, il s'enveloppait trop bien dans l'au-

5 musse[1] d'un canonicat pour sentir les intempéries de l'air: pendant la soirée, les personnes habituellement réunies chez madame de Listomère lui avaient presque garanti sa nomination à la place de chanoine, alors vacante au cha-pitre métropolitain de Saint-Gatien, en lui prouvant que

10 personne ne la méritait mieux que lui, dont les droits longtemps méconnus étaient incontestables. S'il eût perdu au jeu, s'il eût appris que l'abbé Poirel, son con-current, passait chanoine,[2] le bonhomme eût alors trouvé la pluie bien froide. Peut-être eût-il médit de l'existence.

15 Mais il se trouvait dans une de ces rares circonstances de la vie où d'heureuses sensations font tout oublier. En hâtant le pas, il obéissait à un mouvement machinal, et la vérité, si essentielle dans une histoire de mœurs, oblige à dire qu'il ne pensait ni à l'averse ni à la goutte.

20 Jadis, il existait dans le Cloître, du côté de la Grand'-Rue,[3] plusieurs maisons réunies par une clôture, apparte-nant à la cathédrale et où logeaient quelques dignitaires du chapitre. Depuis l'aliénation des biens du clergé,[4] la ville a fait du passage qui sépare ces maisons une rue,

25 nommée rue de la *Psallette*,[5] et par laquelle on va du Cloî-tre à la Grand'Rue. Ce nom indique suffisamment que là demeurait autrefois le grand chantre, ses écoles et ceux qui vivaient sous sa dépendance. Le côté gauche de cette rue est rempli par une seule maison dont les murs sont

30 traversés par les arcs-boutants de Saint-Gatien qui sont implantés dans son petit jardin étroit, de manière à laisser

en doute si la cathédrale fut bâtie avant ou après cet antique logis. Mais en examinant les arabesques et la forme
des fenêtres, le cintre de la porte, et l'extérieur de cette
maison brunie par le temps, un archéologue voit qu'elle
a toujours fait partie du monument magnifique avec lequel 5
elle est mariée. Un antiquaire, s'il y en avait à Tours, une
des villes les moins littéraires de France, pourrait même
reconnaître, à l'entrée du passage dans le Cloître, quelques
vestiges de l'arcade qui formait jadis le portail de ces
habitations ecclésiastiques et qui devait s'harmonier au 10
caractère général de l'édifice. Située au nord de Saint-
Gatien, cette maison se trouve continuellement dans les
ombres projetées par cette grande cathédrale sur laquelle
le temps a jeté son manteau noir, imprimé ses rides, semé
son froid humide, ses mousses et ses hautes herbes. Aussi 15
cette habitation est-elle toujours enveloppée dans un profond silence interrompu seulement par le bruit des clo-
ches, par le chant des offices qui franchit les murs de
l'église, ou par les cris des choucas nichés dans le sommet
des clochers. Cet endroit est un désert de pierres, une 20
solitude pleine de physionomie, et qui ne peut être habitée que par des êtres arrivés à une nullité complète ou
doués d'une force d'âme prodigieuse. La maison dont il
s'agit avait toujours été occupée par des abbés, et appartenait à une vieille fille nommée mademoiselle Gamard. 25
Quoique ce bien eût été acquis de la nation, pendant la
Terreur,[1] par le père de mademoiselle Gamard, comme
depuis vingt ans cette vieille fille y logeait des prêtres,
personne ne s'avisait de trouver mauvais, sous la Restauration,[2] qu'une dévote conservât un bien national: peut- 30
être les gens religieux lui supposaient-ils l'intention de le

léguer au chapitre, et les gens du monde n'en voyaient-ils
pas la destination changée.

L'abbé Birotteau se dirigeait donc vers cette maison,
où il demeurait depuis deux ans. Son appartement avait
5 été, comme l'était alors le canonicat, l'objet de son envie
et son *hoc erat in votis*[1] pendant une douzaine d'années.
Être le pensionnaire de mademoiselle Gamard et devenir
chanoine, furent les deux grandes affaires de sa vie; et
peut-être résument-elles exactement l'ambition d'un prê-
10 tre, qui, se considérant comme en voyage vers l'éternité,
ne peut souhaiter en ce monde qu'un bon gîte, une bonne
table, des vêtements propres, des souliers à agrafes d'argent, choses suffisantes pour les besoins de la bête, et un
canonicat pour satisfaire l'amour-propre, ce sentiment in-
15 dicible qui nous suivra, dit-on, jusqu'auprès de Dieu, puisqu'il y a des grades parmi les saints. Mais la convoitise
de l'appartement alors habité par l'abbé Birotteau, ce sentiment minime aux yeux des gens du monde, avait été pour
lui toute une passion, passion pleine d'obstacles, et, comme
20 les plus criminelles passions, pleines d'espérances, de
plaisirs et de remords.

La distribution intérieure et la contenance de sa maison n'avaient pas permis à mademoiselle Gamard d'avoir
plus de deux pensionnaires logés. Or, environ douze ans
25 avant le jour où Birotteau devint le pensionnaire de cette
fille, elle s'était chargée d'entretenir en joie et en santé
monsieur l'abbé Troubert et monsieur l'abbé Chapeloud.
L'abbé Troubert vivait. L'abbé Chapeloud était mort, et
Birotteau lui avait immédiatement succédé.

30 Feu monsieur l'abbé Chapeloud, en son vivant chanoine
de Saint-Gatien, avait été l'ami intime de l'abbé Birotteau.

Toutes les fois que le vicaire était entré chez le chanoine,
il en avait admiré constamment l'appartement, les meubles et la bibliothèque. De cette admiration naquit un
jour l'envie de posséder ces belles choses. Il avait été
impossible à l'abbé Birotteau d'étouffer ce désir, qui sou- 5
vent le fit horriblement souffrir quand il venait à penser
que la mort de son meilleur ami pouvait seule satisfaire
cette cupidité cachée, mais qui allait toujours croissant.
L'abbé Chapeloud et son ami Birotteau n'étaient pas
riches. Tous deux fils de paysans, ils n'avaient rien autre 10
chose que les faibles émoluments accordés aux prêtres; et
leurs minces économies furent employées à passer les
temps malheureux de la Révolution. Quand Napoléon[1]
rétablit le culte catholique, l'abbé Chapeloud fut nommé
chanoine de Saint-Gatien, et Birotteau devint vicaire de 15
la cathédrale. Chapeloud se mit alors en pension chez
mademoiselle Gamard. Lorsque Birotteau vint visiter le
chanoine dans sa nouvelle demeure, il trouva l'appartement parfaitement bien distribué; mais il n'y vit rien
autre chose. Le début de cette concupiscence mobilière 20
fut semblable à celui d'une passion vraie, qui, chez un
jeune homme, commence quelquefois par une froide admiration pour la femme que plus tard il aimera toujours.

Cet appartement, desservi par un escalier en pierre, se
trouvait dans un corps de logis à l'exposition du midi. 25
L'abbé Troubert occupait le rez-de-chaussée, et mademoiselle Gamard le premier étage du principal bâtiment situé
sur la rue. Lorsque Chapeloud entra dans son logement,
les pièces étaient nues et les plafonds noircis par la fumée. Les chambranles des cheminées en pierre assez mal 30
sculptée n'avaient jamais été peints. Pour tout mobilier,

le pauvre chanoine y mit d'abord un lit, une table, quelques chaises, et le peu de livres qu'il possédait. L'appartement ressemblait à une belle femme en haillons... Mais,
deux ou trois ans après, une vieille dame ayant laissé deux
5 mille francs à l'abbé Chapeloud, il employa cette somme
à l'emplette d'une bibliothèque en chêne, provenant de la
démolition d'un château dépecé par la Bande noire,[1] et
remarquable par des sculptures dignes de l'admiration
des artistes. L'abbé fit cette acquisition, séduit moins par
10 le bon marché que par la parfaite concordance qui existait
entre les dimensions de ce meuble et celles de la galerie.[2]
Ses économies lui permirent alors de restaurer entièrement
la galerie jusque-là pauvre et délaissée. Le parquet fut
soigneusement frotté, le plafond blanchi; et les boiseries
15 furent peintes de manière à figurer les teintes et les nœuds
du chêne. Une cheminée de marbre remplaça l'ancienne.
Le chanoine eut assez de goût pour chercher et pour trouver de vieux fauteuils en bois de noyer sculpté. Puis une
longue table en ébène et deux meubles de Boulle[3] ache-
20 vèrent de donner à cette galerie une physionomie pleine
de caractère. Dans l'espace de deux ans, les libéralités de
plusieurs personnes dévotes, et des legs de ses pieuses
pénitentes, quoique légers, remplirent de livres les rayons
de la bibliothèque alors vide. Enfin, un oncle de Chape-
25 loud, un ancien oratorien,[4] lui légua sa collection in-folio
des Pères de l'Église,[5] et plusieurs autres grands ouvrages
précieux pour un ecclésiastique. Birotteau, surpris de plus
en plus par les transformations successives de cette galerie
jadis nue, arriva par degrés à une involontaire convoitise.
30 Il souhaita posséder ce cabinet, si bien en rapport avec
la gravité des mœurs ecclésiastiques. Cette passion s'ac-

crut de jour en jour. Occupé pendant des journées en-
tières à travailler dans cet asile, le vicaire put en apprécier
le silence et la paix, après en avoir primitivement admiré
l'heureuse distribution. Pendant les années suivantes,
l'abbé Chapeloud fit de la cellule un oratoire que ses dé- 5
votes amies se plurent à embellir. Plus tard encore, une
dame offrit au chanoine pour sa chambre un meuble en
tapisserie qu'elle avait faite elle-même pendant longtemps
sous les yeux de cet homme aimable sans qu'il en soup-
çonnât la destination. Il en fut alors de la chambre à 10
coucher comme de la galerie, elle éblouit le vicaire. Enfin,
trois ans avant sa mort, l'abbé Chapeloud avait complété
le confortable de son appartement en en décorant le salon.
Quoique simplement garni de velours d'Utrecht[1] rouge,
le meuble avait séduit Birotteau. Depuis le jour où le ca- 15
marade du chanoine vit les rideaux de lampas rouge, les
meubles d'acajou, le tapis d'Aubusson[2] qui ornaient cette
vaste pièce peinte à neuf, l'appartement de Chapeloud
devint pour lui l'objet d'une monomanie secrète. Y demeurer, se coucher dans le lit à grands rideaux de soie où 20
couchait le chanoine, et trouver toutes ses aises autour de
lui, comme les trouvait Chapeloud, fut pour Birotteau le
bonheur complet: il ne voyait rien au delà. Tout ce que
les choses du monde font naître d'envie et d'ambition
dans le cœur des autres hommes se concentra chez l'abbé 25
Birotteau dans le sentiment secret et profond avec lequel
il désirait un intérieur semblable à celui que s'était créé
l'abbé Chapeloud. Quand son ami tombait malade, il venait certes chez lui conduit par une sincère affection;
mais, en apprenant l'indisposition du chanoine, ou en lui 30
tenant compagnie, il s'élevait, malgré lui, dans le fond de

son âme mille pensées dont la formule la plus simple était
toujours: «Si Chapeloud mourait, je pourrais avoir son
logement.» Cependant, comme Birotteau avait un cœur
excellent, des idées étroites et une intelligence bornée, il
5 n'allait pas jusqu'à concevoir les moyens de se faire léguer
la bibliothèque et les meubles de son ami.

L'abbé Chapeloud, égoïste aimable et indulgent, devina
la passion de son ami, ce qui n'était pas difficile, et la
lui pardonna, ce qui peut sembler moins facile chez un
10 prêtre. Mais aussi le vicaire, dont l'amitié resta toujours
la même, ne cessa-t-il pas de se promener avec son ami
tous les jours dans la même allée du Mail[1] de Tours, sans
lui faire tort un seul moment du temps consacré depuis
vingt années à cette promenade. Birotteau, qui considé-
15 rait ses vœux involontaires comme des fautes, eût été
capable, par contrition, du plus grand dévouement pour
l'abbé Chapeloud. Celui-ci paya sa dette envers une fra-
ternité si naïvement sincère, en disant, quelques jours
avant sa mort au vicaire, qui lui lisait la *Quotidienne:*[2]
20 «Pour cette fois, tu auras l'appartement. Je sens que tout
est fini pour moi.» En effet, par son testament l'abbé
Chapeloud légua sa bibliothèque et son mobilier à Birotteau. La possession de ces choses, si vivement désirées,
et la perspective d'être pris en pension par mademoiselle
25 Gamard, adoucirent beaucoup la douleur que causait à
Birotteau la perte de son ami le chanoine: il ne l'aurait
peut-être pas ressuscité, mais il le pleura. Pendant quelques jours, il fut comme Gargantua,[3] dont la femme étant
morte en accouchant de Pantagruel, ne savait s'il devait
30 se réjouir de la naissance de son fils, ou se chagriner
d'avoir enterré sa bonne Badbec, et qui se trompait en se

réjouissant de la mort de sa femme, et déplorant la naissance de Pantagruel. L'abbé Birotteau passa les premiers jours de son deuil à vérifier les ouvrages de *sa* bibliothèque, à se servir de *ses* meubles, à les examiner, en disant d'un ton qui, malheureusement, n'a pu être noté: «Pauvre Chapeloud!» Enfin sa joie et sa douleur l'occupaient tant, qu'il ne ressentit aucune peine de voir donner à un autre la place de chanoine, dans laquelle feu Chapeloud espérait avoir Birotteau pour successeur. Mademoiselle Gamard ayant pris avec plaisir le vicaire en pension, celui-ci participa dès lors à toutes les félicités de la vie matérielle que lui vantait le défunt chanoine. Incalculables avantages! A entendre feu l'abbé Chapeloud, aucun de tous les prêtres qui habitaient la ville de Tours ne pouvait être, sans en excepter l'archevêque, l'objet de soins aussi délicats, aussi minutieux que ceux prodigués par mademoiselle Gamard à ses deux pensionnaires. Les premiers mots que disait le chanoine à son ami, en se promenant sur le Mail, avaient presque toujours trait au succulent dîner qu'il venait de faire, et il était bien rare que, pendant les sept promenades de la semaine, il ne lui arrivât pas de dire au moins quatorze fois: «Cette excellente fille a certes pour vocation le service ecclésiastique.»

«Pensez donc,» disait l'abbé Chapeloud à Birotteau, «que, pendant douze années consécutives, linge blanc, aubes, surplis, rabats, rien ne m'a jamais manqué. Je trouve toujours chaque chose en place, en nombre suffisant, et sentant l'iris. Mes meubles sont frottés, et toujours si bien essuyés que, depuis longtemps, je ne connais plus la poussière. En avez-vous vu un seul grain chez moi? Puis le bois de chauffage est bien choisi, les moin-

dres choses sont excellentes; bref, il semble que mademoiselle Gamard ait sans cesse un œil dans ma chambre. Je
ne me souviens pas d'avoir sonné deux fois, en dix ans,
pour demander quoi que ce fût. Voilà vivre! N'avoir rien
5 à chercher, pas même ses pantoufles. Trouver toujours
bon feu, bonne table. Enfin, mon soufflet m'impatientait,
il avait le larynx embarrassé, je ne m'en suis pas plaint
deux fois. Bast, le lendemain mademoiselle m'a donné un
très joli soufflet, et cette paire de badines avec lesquelles
10 vous me voyez tisonnant.»

Birotteau, pour toute réponse, disait: «Sentant l'iris!»
Ce *sentant l'iris* le frappait toujours. Les paroles du chanoine accusaient un bonheur fantastique pour le pauvre
vicaire, à qui ses rabats[1] et ses aubes faisaient tourner la
15 tête; car il n'avait aucun ordre, et oubliait assez fréquemment de commander son dîner. Aussi, soit en quêtant,
soit en disant la messe, quand il apercevait mademoiselle
Gamard à Saint-Gatien, ne manquait-il jamais de lui jeter
un regard doux et bienveillant, comme sainte Thérèse[2]
20 pouvait en jeter au ciel.

Quoique le bien-être que désire toute créature, et qu'il
avait si souvent rêvé, lui fût donc échu, comme il est difficile à tout le monde, même à un prêtre, de vivre sans un
dada, depuis dix-huit mois, l'abbé Birotteau avait rem-
25 placé ses deux passions satisfaites par le souhait d'un canonicat. Le titre de chanoine était devenu pour lui ce que
doit être la pairie[3] pour un ministre plébéien. Aussi la
probabilité de sa nomination, les espérances qu'on venait
de lui donner chez madame de Listomère lui tournaient-
30 elles si bien la tête, qu'il ne se rappela y avoir oublié son
parapluie qu'en arrivant à son domicile. Peut-être même,

sans la pluie qui tombait alors à torrents, ne s'en serait-il
pas souvenu, tant il était absorbé par le plaisir avec lequel il rabâchait en lui-même tout ce que lui avaient dit,
au sujet de sa promotion, les personnes de la société de
madame de Listomère, vieille dame chez laquelle il passait 5
la soirée du mercredi. Le vicaire sonna vivement comme
pour dire à la servante de ne pas le faire attendre. Puis il
se serra dans le coin de la porte, afin de se laisser arroser
le moins possible ; mais l'eau qui tombait du toit coula précisément sur le bout de ses souliers, et le vent poussa par 10
moment sur lui certaines bouffées de pluie assez sembla-
bles à des douches. Après avoir calculé le temps nécessaire pour sortir de la cuisine et venir tirer le cordon[1]
placé sous la porte, il resonna encore de manière à produire un carillon très significatif. «Ils ne peuvent pas être 15
sortis,» se dit-il en n'entendant aucun mouvement dans
l'intérieur. Et pour la troisième fois il recommença sa
sonnerie, qui retentit si aigrement dans la maison et fut
si bien répétée par tous les échos de la cathédrale, qu'à ce
factieux tapage il était impossible de ne pas se réveiller. 20
Aussi, quelques instants après, n'entendit-il pas, sans un
certain plaisir mêlé d'humeur, les sabots de la servante
qui claquaient sur le petit pavé caillouteux. Néanmoins
le malaise du podagre ne finit pas aussitôt qu'il le croyait.
Au lieu de tirer le cordon, Marianne fut obligée d'ouvrir 25
la serrure de la porte avec la grosse clef et de défaire les
verrous.

«Comment me laissez-vous sonner trois fois par un
temps pareil?» dit-il à Marianne.

«Mais, monsieur, vous voyez bien que la porte était 30
fermée. Tout le monde est couché depuis longtemps, les

trois quarts de dix heures sont sonnés.[1] Mademoiselle aura cru[2] que vous n'étiez pas sorti. »

« Mais vous m'avez bien vu partir, vous! D'ailleurs mademoiselle sait bien que je vais chez madame de Lis-
5 tomère tous les mercredis. »

« Ma foi! monsieur, j'ai fait ce que mademoiselle m'a commandé de faire, » répondit Marianne en fermant la porte.

Ces paroles portèrent à l'abbé Birotteau un coup qui
10 lui fut d'autant plus sensible que sa rêverie l'avait rendu plus complètement heureux. Il se tut, suivit Marianne à la cuisine pour prendre son bougeoir, qu'il supposait y avoir été mis. Mais, au lieu d'entrer dans la cuisine, Marianne mena l'abbé chez lui,[3] où le vicaire aperçut son
15 bougeoir sur une table qui se trouvait à la porte du salon rouge, dans une espèce d'antichambre formée par le palier de l'escalier auquel le défunt chanoine avait adapté une grande clôture vitrée. Muet de surprise, il entra promptement dans sa chambre, n'y vit pas de feu dans la chemi-
20 née, et appela Marianne, qui n'avait pas encore eu le temps de descendre.

« Vous n'avez donc pas allumé de feu? » dit-il.

« Pardon, monsieur l'abbé, » répondit-elle. « Il se sera éteint. »[4]

25 Birotteau regarda de nouveau le foyer, et s'assura que le feu était resté couvert depuis le matin.

« J'ai besoin de me sécher les pieds, » reprit-il, « faites-moi du feu. »

Marianne obéit avec la promptitude d'une personne qui
30 avait envie de dormir. Tout en cherchant lui-même ses pantoufles qu'il ne trouvait pas au milieu de son tapis de

lit, comme elles y étaient jadis, l'abbé fit, sur la manière dont Marianne était habillée, certaines observations par lesquelles il lui fut démontré qu'elle ne sortait pas de son lit, comme elle le lui avait dit. Il se souvint alors que, de- puis environ quinze jours, il était sevré de tous ces petits 5 soins qui, pendant dix-huit mois, lui avaient rendu la vie si douce à porter. Or, comme la nature des esprits étroits les porte à deviner les minuties, il se livra soudain à de très grandes réflexions sur ces quatre événements, imperceptibles pour tout autre, mais qui, pour lui, con- 10 stituaient quatre catastrophes. Il s'agissait évidemment de la perte entière de son bonheur, dans l'oubli des pan- toufles, dans le mensonge de Marianne relativement au feu, dans le transport insolite de son bougeoir sur la table de l'antichambre, et dans la station qu'on lui avait ména- 15 gée, par la pluie, sur le seuil de la porte.

Quand la flamme eut brillé dans le foyer, quand la lampe de nuit fut allumée, et que[1] Marianne l'eut quitté sans lui demander, comme elle le faisait jadis: «Monsieur a-t-il encore besoin de quelque chose?» l'abbé Birotteau se 20 laissa doucement aller dans la belle et ample bergère de son défunt ami; mais le mouvement par lequel il y tomba eut quelque chose de triste. Le bonhomme était accablé sous le pressentiment d'un affreux malheur. Ses yeux se tournèrent successivement sur le beau cartel, sur la com- 25 mode, sur les sièges, les rideaux, les tapis, le lit en tom- beau, le bénitier, le crucifix, sur une Vierge du Valentin,[2] sur un Christ de Lebrun,[3] enfin sur tous les accessoires de cette chambre; et l'expression de sa physionomie ré- véla les douleurs du plus tendre adieu qu'un amant ait 30 jamais fait à sa première maîtresse, ou un vieillard à ses derniers arbres plantés. Le vicaire venait de reconnaître, un peu tard à la vérité, les signes d'une persécution sourde exercée sur lui depuis environ trois mois par mademoiselle Gamard, dont les mauvaises intentions eussent sans doute 5 été beaucoup plus tôt devinées par un homme d'esprit. Les vieilles filles n'ont-elles pas toutes un certain talent pour accentuer les actions et les mots que la haine leur suggère? Elles égratignent à la manière des chats. Puis non-seulement elles blessent, mais elles éprouvent du 10 plaisir à blesser, et à faire voir à leur victime qu'elles l'ont blessée. Là où un homme du monde ne se serait pas laissé griffer deux fois, le bon Birotteau avait besoin de plusieurs coups de patte dans la figure avant de croire à une intention méchante.

15   Aussitôt, avec cette sagacité questionneuse que contractent les prêtres habitués à diriger les consciences et à creuser des riens au fond du confessional, l'abbé Birotteau se mit à établir, comme s'il s'agissait d'une controverse religieuse, la proposition suivante: « En admettant 20 que mademoiselle Gamard n'ait plus songé à la soirée de madame de Listomère, que Marianne ait oublié de faire mon feu, que l'on m'ait cru rentré; attendu que j'ai descendu ce matin, et moi-même! *mon bougeoir!!!*[1] il est impossible que mademoiselle Gamard, en le voyant dans son 25 salon, ait pu me supposer couché. *Ergo*, mademoiselle Gamard a voulu me laisser à la porte par la pluie; et, en faisant remonter mon bougeoir chez moi, elle a eu l'intention de me faire connaître... Quoi? » dit-il tout haut, emporté par la gravité des circonstances, en se levant pour 30 quitter ses habits mouillés, prendre sa robe de chambre et se coiffer de nuit. Puis il alla de son lit à la cheminée, en

gesticulant et lançant sur des tons différents les phrases
suivantes, qui toutes furent terminées d'une voix de fausset, comme pour remplacer des points d'interjection.

« Que diantre lui ai-je fait? Pourquoi m'en veut-elle?[1]
Marianne n'a pas dû oublier mon feu! C'est mademoiselle 5
qui lui aura dit de ne pas l'allumer! il faudrait être un enfant pour ne pas s'apercevoir, au ton et aux manières
qu'elle prend avec moi, que j'ai eu le malheur de lui déplaire. Jamais il n'est arrivé rien de pareil à Chapeloud!
Il me sera impossible de vivre au milieu des tourments 10
que... A mon âge... »

Il se coucha dans l'espoir d'éclaircir, le lendemain matin, la cause de la haine qui détruisait à jamais ce bonheur dont il avait joui pendant deux ans, après l'avoir si
longtemps désiré. Hélas! les secrets motifs du sentiment 15
que mademoiselle Gamard lui portait devaient lui être
éternellement inconnus, non qu'ils fussent difficiles à deviner, mais parce que le pauvre homme manquait de cette
bonne foi avec laquelle les grandes âmes et les fripons
savent réagir sur eux-mêmes et se juger. Un homme de 20
génie ou un intrigant seuls se disent: « J'ai eu tort. »
L'intérêt et le talent sont les seuls conseillers conscien-
cieux et lucides. Or, l'abbé Birotteau, dont la bonté allait
jusqu'à la bêtise, dont l'instruction n'était en quelque sorte
que plaquée à force de travail, qui n'avait aucune expé- 25
rience du monde ni de ses mœurs, et qui vivait entre la
messe et le confessionnal, grandement occupé de décider
les cas de conscience les plus légers, en sa qualité de con-
fesseur des pensionnats de la ville et de quelques belles
âmes qui l'appréciaient, l'abbé Birotteau pouvait être con- 30
sidéré comme un grand enfant, à qui la majeure partie

des pratiques sociales était complètement étrangère.
Seulement, l'égoïsme naturel à toutes les créatures humaines, renforcé par l'égoïsme particulier au prêtre, et par
celui de la vie étroite que l'on mène en province,[1] s'était
5 insensiblement développé chez lui, sans qu'il s'en doutât.
Si quelqu'un eût pu trouver assez d'intérêt à fouiller l'âme
du vicaire, pour lui démontrer que, dans les infiniment
petits détails de son existence et dans les devoirs minimes
de sa vie privée, il manquait essentiellement de ce dé-
10 vouement dont il croyait faire profession, il se serait puni
lui-même et se serait mortifié de bonne foi. Mais ceux que
nous offensons, même à notre insu, nous tiennent peu
compte de notre innocence, ils veulent et savent se ven-
ger. Donc Birotteau, quelque faible qu'il fût, dut être
15 soumis aux effets de cette grande Justice distributive, qui
va toujours chargeant le monde d'exécuter ses arrêts nom-
més par certains niais *les malheurs de la vie*.

Il y eut cette différence entre feu l'abbé Chapeloud et
le vicaire, que l'un était un égoïste adroit et spirituel,
20 et l'autre un franc et maladroit égoïste. Lorsque l'abbé
Chapeloud vint se mettre en pension chez mademoiselle
Gamard, il sut parfaitement juger le caractère de son hôtesse. Le confessional lui avait appris à connaître tout ce
que le malheur de se trouver en dehors de la société met
25 d'amertume au cœur d'une vieille fille, il calcula donc sagement sa conduite chez mademoiselle Gamard. L'hôtesse
n'ayant guère alors que trente-huit ans, gardait encore
quelques prétentions, qui, chez ces discrètes personnes,
se changent plus tard en une haute estime d'elles-mêmes.
30 Le chanoine comprit que, pour bien vivre avec mademoiselle Gamard, il devait lui toujours accorder les mêmes

attentions et les mêmes soins, être plus infaillible que ne
l'est le pape. Pour obtenir ce résultat, il ne laissa s'établir
entre elle et lui que les points de contact strictement or-
donnés par la politesse, et ceux qui existent nécessaire-
ment entre des personnes vivant sous le même toit. Ainsi, 5
quoique l'abbé Troubert et lui fissent régulièrement trois
repas par jour, il s'était abstenu de partager le déjeuner
commun, en habituant mademoiselle Gamard à lui envoyer
dans son lit une tasse de café à la crème. Puis, il avait
évité les ennuis du souper en prenant tous les soirs du 10
thé dans les maisons où il allait passer ses soirées. Il
voyait ainsi rarement son hôtesse à un autre moment de
la journée que celui de dîner ; mais il venait toujours
quelques instants avant l'heure fixée. Durant cette espèce
de visite polie, il lui avait adressé, pendant les douze an- 15
nées qu'il passa sous son toit, les mêmes questions, en ob-
tenant d'elle les mêmes réponses. La manière dont avait
dormi mademoiselle Gamard durant la nuit, son déjeuner,
les petits événements domestiques, l'air de son visage,
l'hygiène de sa personne, le temps qu'il faisait, la durée 20
des offices, les incidents de la messe, enfin la santé de tel
ou tel prêtre, faisait tous les frais de cette conversation
périodique. Pendant le dîner, il procédait toujours par des
flatteries indirectes, allant sans cesse de la qualité d'un
poisson, du bon goût des assaisonnements ou des qualités 25
d'une sauce, aux qualités de mademoiselle Gamard et à ses
vertus de maîtresse de maison. Il était sûr de caresser
toutes les vanités de la vieille fille en vantant l'art avec
lequel étaient faits ou préparés ses confitures, ses corni-
chons, ses conserves, ses pâtés, et autres inventions gas- 30
tronomiques. Enfin, jamais le rusé chanoine n'était sorti

du salon jaune de son hôtesse sans dire que, dans aucune
maison de Tours, on ne prenait du café aussi bon que
celui qu'il venait d'y déguster. Grâce à cette parfaite entente du caractère de mademoiselle Gamard, et à cette
5 science d'existence professée pendant douze années par le
chanoine, il n'y eut jamais entre eux matière à discuter le
moindre point de discipline intérieure.¹ L'abbé Chapeloud avait tout d'abord reconnu les angles, les aspérités,
le rêche de cette vieille fille, et réglé l'action des tangentes
10 inévitables entre leurs personnes, de manière à obtenir
d'elle toutes les concessions nécessaires au bonheur et à
la tranquillité de sa vie. Aussi, mademoiselle Gamard disait-elle que l'abbé Chapeloud était un homme très aimable, extrêmement facile à vivre,² et de beaucoup d'esprit.
15 Quant à l'abbé Troubert, la dévote n'en disait absolument
rien. Complètement entré dans le mouvement de sa vie
comme un satellite dans l'orbite de sa planète, Troubert
était pour elle une sorte de créature intermédiaire entre
les individus de l'espèce humaine et ceux de l'espèce ca-
20 nine; il se trouvait classé dans son cœur immédiatement
avant la place destinée aux amis et celle occupée par un
gros carlin poussif qu'elle aimait tendrement; elle le gou-
vernait entièrement, et la promiscuité de leurs intérêts
devint si grande, que bien des personnes, parmi celles de
25 la société de mademoiselle Gamard, pensaient que l'abbé
Troubert avait des vues sur la fortune de la vieille fille,
se l'attachait insensiblement par une continuelle patience,
et la dirigeait d'autant mieux qu'il paraissait lui obéir,
sans laisser apercevoir en lui le moindre désir de la me-
30 ner. Lorsque l'abbé Chapeloud mourut, la vieille fille, qui
voulait un pensionnaire de mœurs douces, pensa naturel-

lement au vicaire. Le testament du chanoine n'était pas
encore connu, que déjà mademoiselle Gamard méditait de
donner le logement du défunt à son bon abbé Troubert,
qu'elle trouvait fort mal au rez-de-chaussée. Mais quand
l'abbé Birotteau vint stipuler avec la vieille fille les con- 5
ventions chirographaires de sa pension, elle le vit si fort
épris de cet appartement pour lequel il avait nourri si
longtemps des désirs dont la violence pouvait alors être
avouée, qu'elle n'osa lui parler d'un échange, et fit céder
l'affection aux exigences de l'intérêt. Pour consoler le 10
bien-aimé chanoine, mademoiselle remplaça les larges
briques blanches de Château-Renaud[1] qui formaient le
carrelage de l'appartement par un parquet en point de
Hongrie,[2] et reconstruisit une cheminée qui fumait.

L'abbé Birotteau avait vu pendant douze ans son ami 15
Chapeloud, sans avoir jamais eu la pensée de chercher
d'où procédait l'extrême circonspection de ses rapports
avec mademoiselle Gamard. En venant demeurer chez
cette sainte fille, il se trouvait dans la situation d'un amant
sur le point d'être heureux. Quand[3] il n'aurait pas été déjà 20
naturellement aveuglé d'intelligence,[4] ses yeux étaient
trop éblouis par le bonheur pour qu'il lui fût possible de
juger mademoiselle Gamard, et de réfléchir sur la mesure
à mettre dans ses relations journalières avec elle. Mademoiselle Gamard, vue de loin et à travers le prisme des 25
félicités matérielles que le vicaire rêvait de goûter près
d'elle, lui semblait une créature parfaite, une chrétienne
accomplie, une personne essentiellement charitable, la
femme de l'Évangile, la vierge sage, décorée de ces vertus
humbles et modestes qui répandent sur la vie un céleste 30
parfum. Aussi, avec tout l'enthousiasme d'un homme qui

parvient à un but longtemps souhaité, avec la candeur
d'un enfant et la niaise étourderie d'un vieillard sans ex-
périence mondaine, entra-t-il dans la vie de mademoiselle
Gamard, comme une mouche se prend dans la toile d'une
5 araignée. Ainsi, le premier jour où il vint dîner et coucher
chez la vieille fille, il fut retenu dans son salon par le désir
de faire connaissance avec elle, aussi bien que par cet
inexplicable embarras qui gêne souvent les gens timides,
et leur fait craindre d'être impolis en interrompant une
10 conversation pour sortir. Il y resta donc pendant toute
la soirée. Une autre vieille fille, amie de Birotteau, nommée mademoiselle Salomon de Villenoix, vint le soir. Mademoiselle Gamard eut alors la joie d'organiser chez elle
une partie de boston.[1] Le vicaire trouva, en se couchant,
15 qu'il avait passé une très agréable soirée. Ne connaissant
encore que fort légèrement mademoiselle Gamard et l'abbé
Troubert, il n'aperçut que la superficie de leurs caractères.
Peu de personnes montrent tout d'abord leurs défauts à
nu. Généralement, chacun tâche de se donner une écorce
20 attrayante. L'abbé Birotteau conçut donc le charmant
projet de consacrer ses soirées à mademoiselle Gamard,
au lieu d'aller les passer au dehors. L'hôtesse avait, depuis
quelques années enfanté un désir qui se reproduisait plus
fort de jour en jour. Ce désir, que forment les vieillards et
25 même les jolies femmes, était devenu chez elle une passion
semblable à celle de Birotteau pour l'appartement de son
ami Chapeloud, et tenait au cœur de la vieille fille par les
sentiments d'orgueil et d'égoïsme, d'envie et de vanité qui
préexistent chez les gens du monde. Cette histoire est de
30 tous les temps: il suffit d'étendre un peu le cercle étroit
au fond duquel vont agir ces personnages pour trouver la

raison coefficiente des événements qui arrivent dans les
sphères les plus élevées de la société. Mademoiselle Gamard passait alternativement ses soirées dans six ou huit
maisons différentes. Soit qu'elle regrettât d'être obligée
d'aller chercher le monde et se crût en droit, à son âge, 5
d'en exiger quelque retour; soit que son amour-propre
eût été froissé de ne point avoir de société à elle; soit
enfin que sa vanité désirât les compliments et les avantages dont elle voyait jouir ses amies, toute son ambition
était de rendre son salon le point d'une réunion vers la- 10
quelle chaque soir un certain nombre de personnes se diri-
geassent *avec plaisir*. Quand Birotteau et son amie mademoiselle Salomon eurent passé quelques soirées chez elle,
en compagnie du fidèle et patient abbé Troubert, un soir,
en sortant de Saint-Gatien, mademoiselle Gamard dit aux 15
bonnes amies, de qui elle se considérait comme l'esclave
jusqu'alors, que les personnes qui voulaient la voir pouvaient bien venir une fois par semaine chez elle où elle
réunissait un nombre d'amis suffisant pour faire une partie
de boston; elle ne devait pas laisser seul l'abbé Birotteau, 20
son nouveau pensionnaire; mademoiselle Salomon n'avait
pas encore manqué une seule soirée de la semaine; elle
appartenait à ses amis, et que... et que... etc., etc. —
Ses paroles furent d'autant plus humblement altières et
abondamment doucereuses, que mademoiselle Salomon 25
de Villenoix tenait à la société la plus aristocratique de
Tours. Quoique mademoiselle Salomon vînt uniquement
par amitié pour le vicaire, mademoiselle Gamard triomphait de l'avoir dans son salon, et se vit, grâce à l'abbé
Birotteau, sur le point de faire réussir son grand dessein 30
de former un cercle qui pût devenir aussi nombreux, aussi

agréable que l'étaient ceux de madame de Listomère, de mademoiselle Merlin de la Blottière, et autres dévotes en possession de recevoir la société pieuse de Tours. Mais, hélas! l'abbé Birotteau fit avorter l'espoir de mademoi-
5 selle Gamard. Or, si tous ceux qui dans leur vie sont parvenus à jouir d'un bonheur souhaité longtemps ont compris la joie que put avoir le vicaire en se couchant dans le lit de Chapeloud, ils devront aussi prendre une légère idée du chagrin que mademoiselle Gamard ressentit
10 au renversement de son plan favori. Après avoir pendant six mois accepté son bonheur assez patiemment, Birotteau déserta le logis, entraînant avec lui mademoiselle Salomon. Malgré des efforts inouïs, l'ambitieuse Gamard avait à peine recruté cinq ou six personnes, dont l'assiduité fut
15 très problématique, et il fallait au moins quatre gens fidèles pour constituer un boston. Elle fut donc forcée de faire amende honorable et de retourner chez ses anciennes amies, car les vieilles filles se trouvent en trop mauvaise compagnie avec elles-mêmes pour ne pas rechercher les
20 agréments équivoques de la société. La cause de cette désertion est facile à concevoir. Quoique le vicaire fût un de ceux auxquels le paradis doit un jour appartenir en vertu de l'arrêt: *Bienheureux les pauvres d'esprit!* il ne pouvait, comme beaucoup de sots, supporter l'ennui que
25 lui causaient d'autres sots. Les gens sans esprit ressemblent aux mauvaises herbes qui se plaisent dans les bons terrains, et ils aiment d'autant plus être amusés qu'ils s'ennuient eux-mêmes. L'incarnation de l'ennui dont ils sont victimes, jointe au besoin qu'ils éprouvent de divorcer
30 perpétuellement avec eux-mêmes, produit cette passion pour le mouvement, cette nécessité d'être toujours là où

ils ne sont pas, qui les distingue, ainsi que les êtres dé-
pourvus de sensibilité et ceux dont la destinée est man-
quée, ou qui souffrent par leur faute. Sans trop sonder le
vide, la nullité de mademoiselle Gamard, ni sans s'expliquer la petitesse de ses idées, le pauvre abbé Birotteau 5
s'aperçut un peu tard pour son malheur, des défauts qu'elle
partageait avec toutes les vieilles filles et de ceux qui lui
étaient particuliers. Le mal, chez autrui, tranche si vigoureusement sur le bien, qu'il nous frappe presque toujours
la vue avant de nous blesser. Ce phénomène moral justi- 10
fierait, au besoin, la pente qui nous porte plus ou moins
vers la médisance. Il est, socialement parlant, si naturel
de se moquer des imperfections d'autrui, que nous de-
vrions pardonner le bavardage railleur que nos ridicules
autorisent, et ne nous étonner que de la calomnie. Mais 15
les yeux du bon vicaire n'étaient jamais à ce point d'optique qui permet aux gens du monde de voir et d'éviter
promptement les aspérités du voisin; il fut donc obligé,
pour reconnaître les défauts de son hôtesse, de subir l'avertissement que donne la nature à toutes ses créations, la 20
douleur! Les vieilles filles n'ayant pas fait plier leur caractère et leur vie à une autre vie ni à d'autres caractères,
comme l'exige la destinée de la femme, ont, pour la plupart, la manie de vouloir tout faire plier autour d'elles.
Chez mademoiselle Gamard, ce sentiment dégénérait en 25
despotisme, mais ce despotisme ne pouvait se prendre qu'à
de petites choses. Ainsi, entre mille exemples, le panier
de fiches et de jetons posé sur la table de boston pour
l'abbé Birotteau devait rester à la place où elle l'avait
mis; et l'abbé la contrariait vivement en le dérangeant, 30
ce qui arrivait presque tous les soirs. D'où procédait cette

susceptibilité stupidement portée sur des riens,[1] et quel
en était le but? Personne n'eût pu le dire, mademoiselle
Gamard ne le savait pas elle-même. Quoique très mouton
de sa nature, le nouveau pensionnaire n'aimait cependant
5 pas plus que les brebis à sentir trop souvent la houlette,
surtout quand elle est armée de pointes. Sans s'expliquer
la haute patience de l'abbé Troubert, Birotteau voulut se
soustraire au bonheur que mademoiselle Gamard prétendait lui assaisonner à sa manière, car elle croyait qu'il en
10 était du bonheur comme de ses confitures; mais le malheureux s'y prit assez maladroitement, par suite de la
naïveté de son caractère. Cette séparation n'eut donc pas
lieu sans bien des tiraillements et des picoteries auxquels
l'abbé Birotteau s'efforça de ne pas se montrer sensible.

15   A l'expiration de la première année qui s'écoula sous
le toit de mademoiselle Gamard, le vicaire avait repris
ses anciennes habitudes en allant passer deux soirées par
semaine chez madame de Listomère, trois chez mademoiselle Salomon, et les deux autres chez mademoiselle Merlin
20 de la Blottière. Ces personnes appartenaient à la partie
aristocratique de la société tourangelle, où mademoiselle
Gamard n'était point admise. Aussi, l'hôtesse fut-elle
vivement outragée par l'abandon de l'abbé Birotteau, qui
lui faisait sentir son peu de valeur: toute espèce de choix
25 implique un mépris pour l'objet refusé.

« Monsieur Birotteau ne nous a pas trouvés assez ai-
mables, » dit l'abbé Troubert aux amis de mademoiselle
Gamard lorsqu'elle fut obligée de renoncer à ses soirées.
« C'est un homme d'esprit, un gourmet! Il lui faut du
30 beau monde, du luxe, des conversations à saillies, les mé-
disances de la ville. »

Ces paroles amenaient toujours mademoiselle Gamard à justifier l'excellence de son caractère aux dépens de Birotteau.

« Il n'a pas déjà tant d'esprit, »[1] disait-elle. « Sans l'abbé Chapeloud, il n'aurait jamais été reçu chez madame de Listomère. Oh! j'ai bien perdu en perdant l'abbé Chapeloud. Quel homme aimable et facile à vivre! Enfin, pendant douze ans, je n'ai pas eu la moindre difficulté ni le moindre désagrément avec lui. »

Mademoiselle Gamard fit de l'abbé Birotteau un portrait si peu flatteur, que l'innocent pensionnaire passa dans cette société bourgeoise, secrètement ennemie de la société aristocratique, pour un homme essentiellement difficultueux et très difficile à vivre. Puis, la vieille fille eut pendant quelques semaines le plaisir de s'entendre plaindre par ses amies, qui, sans penser un mot de ce qu'elles disaient, ne cessèrent de lui répéter: « Comment vous, si douce et si bonne, avez-vous inspiré de la répugnance... » Ou: « Consolez-vous, ma chère demoiselle Gamard, vous êtes si bien connue que... » etc.

Mais, enchantées d'éviter une soirée par semaine dans le Cloître, l'endroit le plus désert, le plus sombre et le plus éloigné du centre qu'il y ait à Tours, toutes bénissaient le vicaire.

Entre personnes sans cesse en présence,[2] la haine et l'amour vont toujours croissant: on trouve à tout moment des raisons pour s'aimer ou se haïr mieux. Aussi l'abbé Birotteau devint-il insupportable à mademoiselle Gamard. Dix-huit mois après l'avoir pris en pension, au moment où le bonhomme croyait voir la paix du contentement dans le silence de la haine, et s'applaudissait d'avoir su *très bien*

corder avec la vieille fille, pour se servir de son expression, il fut pour elle l'objet d'une persécution sourde et d'une vengeance froidement calculée. Les quatre circonstances capitales de la porte fermée, des pantoufles oubliées, du
5 manque de feu, du bougeoir porté chez lui, pouvaient seules lui révéler cette inimitié terrible dont les dernières conséquences ne devaient le frapper qu'au moment où elles seraient irréparables. Tout en s'endormant, le bon vicaire se creusait donc, mais inutilement, la cervelle, et
10 certes il en sentait bien vite le fond, pour s'expliquer la conduite singulièrement impolie de mademoiselle Gamard. En effet, ayant agi jadis très logiquement en obéissant aux lois naturelles de son égoïsme, il lui était impossible de deviner ses torts envers son hôtesse. Si les choses
15 grandes sont simples à comprendre, faciles à exprimer, les petitesses de la vie veulent beaucoup de détails. Les événements qui constituent en quelque sorte l'avant-scène de ce drame bourgeois, mais où les passions se retrouvent tout aussi violentes que si elles étaient excitées par de
20 grands intérêts, exigeaient cette longue introduction, et il eût été difficile à un historien exact d'en resserrer les minutieux développements.

Le lendemain matin, en s'éveillant, Birotteau pensa si fortement à son canonicat qu'il ne songeait plus aux
25 quatre circonstances dans lesquelles il avait aperçu, la veille, les sinistres pronostics d'un avenir plein de malheurs. Le vicaire n'était pas homme à se lever sans feu, il sonna pour avertir Marianne de son réveil et la faire venir chez lui : puis il resta, selon son habitude, plongé
30 dans les rêvasseries somnolescentes pendant lesquelles la servante avait coutume, en lui embrasant la cheminée, de

l'arracher doucement à ce dernier sommeil par les bour-
donnements de ses interpellations et de ses allures, espèce
de musique qui lui plaisait. Une demi-heure se passa sans
que Marianne eût paru. Le vicaire, à moitié chanoine,
allait sonner de nouveau, quand il lâcha le cordon de sa 5
sonnette en entendant le bruit d'un pas d'homme dans
l'escalier. En effet, l'abbé Troubert, après avoir discrètement frappé à la porte, entra sur l'invitation de Birotteau.
Cette visite, que les deux abbés se faisaient assez régulièrement une fois par mois l'un à l'autre, ne surprit point le 10
vicaire. Le chanoine s'étonna, dès l'abord, que Marianne
n'eût pas encore allumé le feu de son quasi-collègue. Il
ouvrit une fenêtre, appela Marianne d'une voix rude, lui
dit de venir chez Birotteau; puis, se retournant vers son
frère: «Si mademoiselle apprenait que vous n'avez pas de 15
feu, elle gronderait Marianne.»

Après cette phrase, il s'enquit de la santé de Birotteau,
et lui demanda d'une voix douce s'il avait quelques nouvelles récentes qui lui fissent espérer d'être nommé chanoine. Le vicaire lui expliqua ses démarches, et lui dit 20
naïvement quelles étaient les personnes auprès desquelles
madame de Listomère agissait, ignorant que Troubert
n'avait jamais su pardonner à cette dame de ne pas l'avoir
admis chez elle, lui, l'abbé Troubert, déjà deux fois dé-
signé pour être vicaire-général[1] du diocèse.   25

Il était impossible de rencontrer deux figures qui of-
frissent autant de contrastes qu'en présentaient celles de
ces deux abbés. Troubert, grand et sec, avait un teint
jaune et bilieux, tandis que le vicaire était ce qu'on ap-
pelle familièrement grassouillet. Ronde et rougeaude, la 30
figure de Birotteau peignait une bonhomie sans idées;

tandis que celle de Troubert, longue et creusée par des
rides profondes, contractait en certains moments une expression pleine d'ironie ou de dédain: mais il fallait cependant l'examiner avec attention pour y découvrir ces
5 deux sentiments. Le chanoine restait habituellement dans
un calme parfait, en tenant ses paupières presque toujours
abaissées sur deux yeux orangés dont le regard devenait
à son gré clair et perçant. Des cheveux roux complétaient
cette sombre physionomie, sans cesse obscurcie par le
10 voile que de graves méditations jettent sur les traits.
Plusieurs personnes avaient pu d'abord le croire absorbé
par une haute et profonde ambition; mais celles qui pré-
tendaient le mieux connaître avaient fini par détruire
cette opinion en le montrant hébété par le despotisme de
15 mademoiselle Gamard, ou fatigué par de trop longs jeûnes.
Il parlait rarement et ne riait jamais. Quand il lui arrivait d'être agréablement ému, il lui échappait un sourire
faible qui se perdait dans les plis de son visage. Birotteau
était, au contraire, tout expansion, tout franchise, aimait
20 les bons morceaux, et s'amusait d'une bagatelle avec la
simplicité d'un homme sans fiel ni malice. L'abbé Troubert causait, à la première vue, un sentiment de terreur
involontaire, tandis que le vicaire arrachait un sourire
doux à ceux qui le voyaient. Quand, à travers les arcades
25 et les nefs de Saint-Gatien, le haut chanoine marchait
d'un pas solennel, le front incliné, l'œil sévère, il excitait
le respect: sa figure cambrée était en harmonie avec les
voussures jaunes de la cathédrale, les plis de sa soutane
avaient quelque chose de monumental, digne de la sta-
30 tuaire. Mais le bon vicaire y circulait sans gravité, trot-
tait, piétinait en paraissant rouler sur lui-même.[1] Ces

deux hommes avaient néanmoins une ressemblance. De
même que l'air ambitieux de Troubert, en donnant lieu de
le redouter, avait contribué peut-être à le faire condamner
au rôle insignifiant de simple chanoine, le caractère et la
tournure de Birotteau semblaient le vouer éternellement 5
au vicariat de la cathédrale. Cependant l'abbé Troubert,
arrivé à l'âge de cinquante ans, avait tout à fait dissipé,
par la mesure de sa conduite, par l'apparence d'un manque total d'ambition et par sa vie toute sainte, les craintes
que sa capacité soupçonnée et son terrible extérieur 10
avaient inspirées à ses supérieurs. Sa santé s'étant même
grièvement altérée depuis un an, sa prochaine élévation
au vicariat général de l'archevêché paraissait probable.
Ses compétiteurs eux-mêmes souhaitaient sa nomination,
afin de pouvoir mieux préparer la leur pendant le peu de 15
jours qui lui seraient accordés par une maladie devenue
chronique. Loin d'offrir les mêmes espérances, le triple
menton de Birotteau présentait aux concurrents qui lui
disputaient son canonicat les symptômes d'une santé flo-
rissante, et sa goutte leur semblait être, suivant le pro- 20
verbe, une assurance de longévité. L'abbé Chapeloud,
homme d'un grand sens, et que son amabilité avait toujours fait rechercher par les gens de bonne compagnie et
par les différents chefs de la métropole, s'était toujours
opposé, mais secrètement et avec beaucoup d'esprit, à l'élé- 25
vation de l'abbé Troubert; il lui avait même très adroitement interdit l'accès de tous les salons où se réunissait
la meilleure société de Tours, quoique pendant sa vie
Troubert l'eût traité sans cesse avec un grand respect, en
lui témoignant en toute occasion la plus haute déférence. 30
Cette constante soumission n'avait pu changer l'opinion

du défunt chanoine, qui, pendant sa dernière promenade, disait encore à Birotteau: «Défiez-vous de ce grand sec de Troubert! C'est Sixte-Quint[1] réduit aux proportions de l'évêché.» Tel était l'ami, le commensal de mademoi-
5 selle Gamard, qui venait, le lendemain même du jour où elle avait pour ainsi dire déclaré la guerre au pauvre Birotteau, le visiter et lui donner des marques d'amitié.

«Il faut excuser Marianne,» dit le chanoine en la voyant entrer. «Je pense qu'elle a commencé par venir chez moi.
10 Mon appartement est très humide, et j'ai beaucoup toussé pendant toute la nuit. Vous êtes très sainement ici,»[2] ajouta-t-il en regardant les corniches.

«Oh! je suis ici en chanoine,»[3] répondit Birotteau en souriant.

15 «Et moi en vicaire,» répliqua l'humble prêtre.

«Oui, mais vous logerez bientôt à l'Archevêché,» dit le bon prêtre, qui voulait que tout le monde fût heureux.

«Oh! ou dans le cimetière. Mais que la volonté de Dieu soit faite!» Et Troubert leva les yeux au ciel par un
20 mouvement de résignation. «Je venais,» ajouta-t-il, «vous prier de me prêter le *pouillé* des évêques. Il n'y a que vous à Tours qui ayez cet ouvrage.»

«Prenez-le dans ma bibliothèque,» répondit Birotteau que la dernière phrase du chanoine fit ressouvenir de
25 toutes les jouissances de sa vie.

Le grand chanoine passa dans la bibliothèque, et y resta pendant le temps que le vicaire mit à s'habiller. Bientôt la cloche du déjeuner se fit entendre, et le goutteux pensant que, sans la visite de Troubert, il n'aurait pas eu de
30 feu pour se lever, se dit: «C'est un bon homme!»

Les deux prêtres descendirent ensemble, armés chacun

d'un énorme *in-folio*, qu'ils posèrent sur une des consoles
de la salle à manger.

«Qu'est-ce que c'est que ça?» demanda d'une voix aigre
mademoiselle Gamard en s'adressant à Birotteau. «J'es-
père que vous n'allez pas encombrer ma salle à manger
de vos bouquins.»

«C'est[1] des livres dont j'ai besoin,» répondit l'abbé
Troubert, «monsieur le vicaire a la complaisance de me
les prêter.»

«J'aurais dû deviner cela,» dit-elle en laissant échapper
un sourire de dédain. «Monsieur Birotteau ne lit pas souvent dans ces gros livres-là.»

«Comment vous portez-vous, mademoiselle?» reprit le
pensionnaire d'une voix flûtée.

«Mais pas très bien,» répondit-elle sèchement. «Vous
êtes cause que j'ai été réveillée hier pendant mon premier
sommeil, et toute ma nuit s'en est ressentie.» En s'as-
seyant, mademoiselle Gamard ajouta: «Messieurs, le lait
va se refroidir.»

Stupéfait d'être si aigrement accueilli par son hôtesse
quand il en attendait des excuses, mais effrayé, comme le
sont les gens timides, par la perspective d'une discussion,
surtout quand ils en sont l'objet, le pauvre vicaire s'assit
en silence. Puis, en reconnaissant dans le visage de mademoiselle Gamard les symptômes d'une mauvaise humeur
apparente, il resta constamment en guerre avec sa raison
qui lui ordonnait de ne pas souffrir le manque d'égards
de son hôtesse, tandis que son caractère le portait à éviter
une querelle. En proie à cette angoisse intérieure, Birotteau commença par examiner sérieusement les grandes
hachures vertes peintes sur le gros taffetas ciré que, par

un usage immémorial, mademoiselle Gamard laissait pendant le déjeuner sur la table, sans avoir égard ni aux bords
usés ni aux nombreuses cicatrices de cette couverture.
Les deux pensionnaires se trouvaient établis, chacun dans
5 un fauteuil de canne, en face l'un de l'autre, à chaque bout
de cette table royalement carrée,[1] dont le centre était occupé par l'hôtesse, et qu'elle dominait du haut de sa chaise
à patins,[2] garnie de coussins et adossée au poêle de la salle
à manger. Cette pièce et le salon commun étaient situés
10 au rez-de-chaussée, sous la chambre et le salon de l'abbé
Birotteau. Lorsque le vicaire eut reçu de mademoiselle
Gamard sa tasse de café sucré, il fut glacé du profond
silence dans lequel il allait accomplir l'acte si habituellement gai de son déjeuner. Il n'osait regarder ni la figure
15 aride de Troubert, ni le visage menaçant de la vieille fille,
et se tourna par contenance[3] vers le gros carlin chargé
d'embonpoint, qui, couché sur un coussin près du poêle,
n'en bougeait jamais, trouvant toujours à sa gauche un
petit plat rempli de friandises, et à sa droite un bol plein
20 d'eau claire.

« Eh bien, mon mignon,» lui dit-il, « tu attends ton café.»
Ce personnage, l'un des plus importants au logis, mais
peu gênant en ce qu'il n'aboyait plus et laissait la parole
à sa maîtresse, leva sur Birotteau ses petits yeux perdus
25 sous les plis formés dans son masque par la graisse. Puis
il les referma sournoisement. Pour comprendre la souffrance du pauvre vicaire, il est nécessaire de dire que,
doué d'une loquacité vide et sonore comme le retentissement d'un ballon, il prétendait, sans avoir pu donner aux
30 médecins une seule raison de son opinion, que les paroles
favorisaient la digestion. Mademoiselle, qui partageait

cette doctrine hygiénique, n'avait pas encore manqué,
malgré leur mésintelligence, à causer pendant le repas;
mais, depuis plusieurs matinées, le vicaire avait usé vaine-
ment son intelligence à lui faire des questions insidieuses
pour parvenir à lui délier la langue. Si les bornes étroites 5
dans lesquelles se renferme cette histoire avaient permis
de rapporter une seule de ces conversations qui excitaient
presque toujours le sourire amer et sardonique de l'abbé
Troubert, elle eût offert une peinture achevée de la vie
béotienne[1] des provinciaux. Quelques gens d'esprit n'ap- 10
prendraient peut-être pas sans plaisir les étranges développements que l'abbé Birotteau et mademoiselle Gamard
donnaient à leurs opinions personnelles sur la politique,
la religion et la littérature. Il y aurait certes quelque
chose de comique à exposer: soit les raisons qu'ils avaient 15
tous deux de douter sérieusement, en 1820, de la mort de
Napoléon;[2] soit les conjectures qui les faisaient croire à
l'existence de Louis XVII,[3] sauvé dans le creux d'une
grosse bûche. Qui n'eût pas ri de les entendre établissant,
par des raisons bien évidemment à eux, que le roi de 20
France disposait seul de tous les impôts, que les Chambres[4] étaient assemblées pour détruire le clergé, qu'il était
mort plus de treize cent mille[5] personnes sur l'échafaud
pendant la Révolution? Puis ils parlaient de la presse sans
connaître le nombre des journaux, sans avoir la moindre 25
idée de ce qu'était cet instrument moderne. Enfin, monsieur Birotteau écoutait avec attention mademoiselle Gamard, quand elle disait qu'un homme nourri d'un œuf
chaque matin devait infailliblement mourir à la fin de l'année, et que cela s'était vu; qu'un petit pain mollet, mangé 30
sans boire pendant quelques jours, guérissait de la scia-

tique; que tous les ouvriers qui avaient travaillé à la démolition de l'abbaye Saint-Martin[1] étaient morts dans
l'espace de six mois; que certain préfet avait fait tout son
possible, sous Bonaparte, pour ruiner les tours de Saint-
5 Gatien,[2] et mille autres contes absurdes.

Mais en ce moment Birotteau se sentit ia langue morte,
il se résigna donc à manger sans entamer ła conversation.
Bientôt il trouva ce silence dangereux pour son estomac
et dit hardiment: «Voilà du café excellent!» Cet acte de
10 courage fut complètement inutile. Après avoir regardé le
ciel par le petit espace qui séparait, au-dessus du jardin,
les deux arcs-boutants noirs de Saint-Gatien, le vicaire eut
encore le courage de dire: « Il fera plus beau aujourd'hui
qu'hier. . . »

15 A ce propos mademoiselle Gamard se contenta de jeter
la plus gracieuse de ses œillades à l'abbé Troubert, et re-
porta ses yeux empreints d'une sévérité terrible sur Birotteau, qui heureusement avait baissé les siens.

Nulle créature du genre féminin n'était plus capable que
20 mademoiselle Sophie Gamard de formuler la nature élégiaque de la vieille fille. Elle était fille d'un marchand de
bois, espèce de paysan parvenu. Elle allait, pour ainsi
dire, d'une seule pièce,[3] en paraissant surgir, à chaque pas,
comme la statue du Commandeur.[4] Dans ses moments
25 de bonne humeur elle donnait à entendre, comme le font
toutes les vieilles filles, qu'elle aurait bien pu se marier,
mais elle s'était heureusement aperçue à temps de la mauvaise foi de son amant, et faisait ainsi, sans le savoir, le
procès à son cœur[5] en faveur de son esprit de calcul.

30 La figure typique du genre *vieille fille* était très bien en-
cadrée par les grotesques inventions d'un papier verni re-

présentant des paysages turcs qui ornaient les murs de la salle à manger. Mademoiselle Gamard se tenait habituellement dans cette pièce décorée de deux consoles et d'un baromètre. A la place adoptée par chaque abbé se trouvait un petit coussin en tapisserie dont les couleurs étaient 5 passées. Le salon commun où elle recevait était digne d'elle. Il sera bientôt connu en faisant observer qu'il se nommait le *salon jaune :* les draperies en étaient jaunes, le meuble et la tenture jaunes : sur la cheminée garnie d'une glace à cadre doré, des flambeaux et une pendule 10 en cristal jetaient un éclat dur à l'œil. Quant au logement particulier de mademoiselle Gamard, il n'avait été permis à personne d'y pénétrer. On pouvait seulement conjecturer qu'il était rempli de ces chiffons, de ces meubles usés, de ces espèces de haillons dont s'entourent toutes les vieilles 15 filles, et auxquels elles tiennent tant.

Telle était la personne destinée à exercer la plus grande influence sur les derniers jours de l'abbé Birotteau.

Faute d'exercer, selon les vœux de la nature, l'activité donnée à la femme, et par la nécessité où elle était de 20 la dépenser, cette vieille fille l'avait transportée dans les intrigues mesquines, les caquetages de province et les combinaisons égoïstes dont finissent par s'occuper exclusivement toutes les vieilles filles. Birotteau, pour son malheur, avait développé chez Sophie Gamard les seuls 25 sentiments qu'il fût possible à cette pauvre créature d'éprouver, ceux de la haine, qui, latents jusqu'alors, par suite du calme et de la monotonie d'une vie provinciale dont pour elle l'horizon s'était encore rétréci, devaient acquérir d'autant plus d'intensité qu'ils allaient s'exercer 30 sur de petites choses et au milieu d'une sphère étroite.

Birotteau était de ces gens qui sont prédestinés à tout souffrir, parce que, ne sachant rien voir, ils ne peuvent rien éviter: tout leur arrive.

«Oui, il fera beau,» répondit après un moment le cha-5 noine, qui parut sortir de sa rêverie et vouloir pratiquer les lois de la politesse.

Birotteau, effrayé du temps qui s'écoula entre la demande et la réponse, car il avait, pour la première fois de sa vie, pris son café sans parler, quitta la salle à manger 10 où son cœur était serré comme dans un étau. Sentant sa tasse de café pesante sur son estomac, il alla se promener tristement sur les petites allées étroites et bordées de buis qui dessinaient une étoile dans le jardin. Mais en se retournant, après le premier tour qu'il y fit, il vit sur le seuil de la 15 porte du salon mademoiselle Gamard et l'abbé Troubert plantés silencieusement: lui, les bras croisés et immobile comme la statue d'un tombeau; elle, appuyée sur la porte persienne. Tous deux semblaient, en le regardant, compter le nombre de ses pas. Rien n'est déjà[1] plus gênant 20 pour une créature naturellement timide que d'être l'objet d'un examen curieux; mais s'il est fait par les yeux de la haine, l'espèce de souffrance qu'il cause se change en un martyre intolérable. Bientôt l'abbé Birotteau s'imagina qu'il empêchait mademoiselle Gamard et le chanoine de 25 se promener. Cette idée, inspirée tout à la fois par la crainte et par la bonté, prit un tel accroissement qu'elle lui fit abandonner la place. Il s'en alla, ne pensant déjà plus à son canonicat, tant il était absorbé par la désespérante tyrannie de la vieille fille. Il trouva par hasard, et 30 heureusement pour lui, beaucoup d'occupation à Saint-Gatien, où il y eut plusieurs enterrements, un mariage et deux baptêmes. Il put alors oublier ses chagrins. Quand son estomac lui annonça l'heure du dîner, il ne tira pas sa montre sans effroi, en voyant quatre heures et quelques minutes. Il connaissait la ponctualité de mademoiselle Gamard, il se hâta donc de se rendre au logis. 5

Il aperçut dans la cuisine le premier service desservi. Puis, quand il arriva dans la salle à manger, la vieille fille lui dit d'un son de voix où se peignaient également l'aigreur d'un reproche et la joie de trouver son pensionnaire en faute: «Il est quatre heures et demie, monsieur Birot- 10 teau. Vous savez que nous ne devons pas vous attendre.»

Le vicaire regarda le cartel de la salle à manger, et la manière dont était posée l'enveloppe de gaze destinée à le garantir de la poussière lui prouva que son hôtesse l'avait remonté pendant la matinée, en se donnant le plaisir de 15 le faire avancer sur l'horloge de Saint-Gatien. Il n'y avait pas d'observation possible. L'expression verbale du soupçon conçu par le vicaire eût causé la plus terrible et la mieux justifiée des explosions éloquentes que mademoiselle Gamard sût, comme toutes les femmes de sa classe, 20 faire jaillir en pareil cas. Les mille et une contrariétés qu'une servante peut faire subir à son maître, ou une femme à son mari dans les habitudes privées de la vie, furent devinées par mademoiselle Gamard, qui en accabla son pensionnaire. La manière dont elle se plaisait à ourdir 25 ses conspirations contre le bonheur domestique du pauvre prêtre portait l'empreinte du génie le plus profondément malicieux. Elle s'arrangea pour ne jamais paraître avoir tort.

Huit jours après le moment où ce récit commence, 30 l'habitation de cette maison, et les relations que l'abbé

Birotteau avait avec mademoiselle Gamard, lui révélèrent
une trame ourdie depuis six mois. Tant que la vieille fille
avait sourdement exercé sa vengeance, et que le vicaire
avait pu s'entretenir volontairement dans l'erreur, en re-
5 fusant de croire à des intentions malveillantes, le mal
moral avait fait peu de progrès chez lui. Mais depuis l'affaire du bougeoir remonté, de la pendule avancée, Birotteau ne pouvait plus douter qu'il ne vécût sous l'empire
d'une haine dont l'œil était toujours ouvert sur lui. Il
10 arriva dès lors rapidement au désespoir, en apercevant,
à toute heure, les doigts crochus et effilés de mademoiselle Gamard prêts à s'enfoncer dans son cœur. Heureuse
de vivre par un sentiment aussi fertile en émotions que
l'est celui de la vengeance, la vieille fille se plaisait à
15 planer, à peser sur le vicaire, comme un oiseau de proie
plane et pèse sur un mulot avant de le dévorer. Elle avait
conçu depuis longtemps un plan que le prêtre abasourdi
ne pouvait deviner, et qu'elle ne tarda pas à dérouler, en
montrant le génie que savent déployer, dans les petites
20 choses, les personnes solitaires dont l'âme, inhabile à
sentir les grandeurs de la piété vraie, s'est jetée dans les
minuties de la dévotion. Dernière, mais affreuse aggra-
vation de peine! La nature de ses chagrins interdisait à
Birotteau, homme d'expansion, aimant à être plaint et
25 consolé, la petite douceur de les raconter à ses amis. Le
peu de tact qu'il devait à sa timidité lui faisait redouter
de paraître ridicule en s'occupant de pareilles niaiseries.
Et cependant ces niaiseries composaient toute son existence, sa chère existence pleine d'occupations dans le vide
30 et de vide dans les occupations; vie terne et grise où les
sentiments trop forts étaient des malheurs, où l'absence

de toute émotion était une félicité. Le paradis du pauvre
prêtre se changea donc subitement en enfer. Enfin, ses
souffrances devinrent intolérables. La terreur que lui
causait la perspective d'une explication avec mademoiselle Gamard s'accrut de jour en jour; et le malheur secret 5
qui flétrissait les heures de sa vieillesse altéra sa santé. Un
matin, en mettant ses bas bleus chinés, il reconnut une
perte de huit lignes dans la circonférence de son mollet.
Stupéfait de ce diagnostic si cruellement irrécusable, il
résolut de faire une tentative auprès de l'abbé Troubert, 10
pour le prier d'intervenir officieusement entre mademoiselle Gamard et lui.

En se trouvant en présence de l'imposant chanoine, qui,
pour le recevoir dans une chambre nue, quitta promptement un cabinet plein de papiers où il travaillait sans 15
cesse, et où ne pénétrait personne, le vicaire eut presque
honte de parler des taquineries de mademoiselle Gamard
à un homme qui lui paraissait si sérieusement occupé.
Mais après avoir subi toutes les angoisses de ces délibé-
rations intérieures que les gens humbles, indécis ou faibles 20
éprouvent même pour des choses sans importance, il se
décida, non sans avoir le cœur grossi par des pulsations
extraordinaires, à expliquer sa position à l'abbé Troubert. Le chanoine écouta d'un air grave et froid, essayant,
mais en vain, de réprimer certains sourires qui, peut-être, 25
eussent révélé les émotions d'un contentement intime à
des yeux intelligents. Une flamme parut s'échapper de
ses paupières lorsque Birotteau lui peignit, avec l'élo-
quence que donnent les sentiments vrais, la constante
amertume dont il était abreuvé; mais Troubert mit la 30
main au-dessus de ses yeux par un geste assez familier

aux penseurs, et garda l'attitude de dignité qui lui était
habituelle. Quand le vicaire eut cessé de parler, il aurait
été bien embarrassé s'il avait voulu chercher sur la figure
de Troubert, alors marbrée par des taches plus jaunes
5 encore que ne l'était ordinairement son teint bilieux, quelques traces des sentiments qu'il avait dû exciter chez ce
prêtre mystérieux. Après être resté pendant un moment
silencieux, le chanoine fit une de ces réponses dont toutes
les paroles devaient être longtemps étudiées pour que leur
10 portée fût entièrement mesurée, mais qui, plus tard, prou-
vaient aux gens réfléchis l'étonnante profondeur de son
âme et la puissance de son esprit. Enfin, il accabla Birotteau en lui disant que: «ces choses l'étonnaient d'autant
plus, qu'il ne s'en serait jamais aperçu sans la confession
15 de son frère; il attribuait ce défaut d'intelligence à ses
occupations sérieuses, à ses travaux, et à la tyrannie de
certaines pensées élevées qui ne lui permettaient pas de regarder aux détails de la vie.» Il lui fit observer, mais sans
avoir l'air de vouloir censurer la conduite d'un homme
20 dont l'âge et les connaissances méritaient son respect,
que «jadis les solitaires songeaient rarement à leur nourriture, à leur abri, au fond des thébaïdes où ils se livraient
à de saintes contemplations,» et que, «de nos jours, le
prêtre pouvait par la pensée se faire partout une thébaïde.»
25 Puis, revenant à Birotteau, il ajouta que «ces discussions
étaient toutes nouvelles pour lui. Pendant douze années,
rien de semblable n'avait eu lieu entre mademoiselle
Gamard et le vénérable abbé Chapeloud. Quant à lui,
sans doute, il pouvait bien,» ajouta-t-il, «devenir l'arbitre
30 entre le vicaire et leur hôtesse, parce que son amitié pour
elle ne dépassait pas les bornes imposées par les lois de

l'Église à ses fidèles serviteurs; mais alors la justice
exigeait qu'il entendît aussi mademoiselle Gamard. Que,
d'ailleurs, il ne trouvait rien de changé en elle; qu'il
l'avait toujours vue ainsi; qu'il s'était volontiers soumis à
quelques-uns de ses caprices, sachant que cette respecta- 5
ble demoiselle était la bonté, la douceur même; qu'il fallait
attribuer les légers changements de son humeur aux souffrances causées par une pulmonie dont elle ne parlait pas,
et à laquelle elle se résignait en vraie chrétienne. . . .» Il
finit en disant au vicaire, que, «pour peu[1] qu'il restât 10
encore quelques années auprès de mademoiselle, il saurait
mieux l'apprécier, et reconnaître les trésors de son excellent caractère.»

L'abbé Birotteau sortit confondu. Dans la nécessité
fatale où il se trouvait de ne prendre conseil que de lui- 15
même, il jugea mademoiselle Gamard d'après lui. Le
bonhomme crut, en s'absentant pendant quelques jours,
éteindre, faute d'aliment, la haine que lui portait cette
fille. Donc il résolut d'aller, comme jadis, passer plusieurs
jours à une campagne où madame de Listomère se rendait 20
à la fin de l'automne, époque à laquelle le ciel est ordinairement pur et doux en Touraine.[2] Pauvre homme! il
accomplissait précisément les vœux secrets de sa terrible
ennemie, dont les projets ne pouvaient être déjoués que
par une patience de moine; mais, ne devinant rien, ne 25
sachant point ses propres affaires, il devait succomber
comme un agneau, sous le premier coup du boucher.

Située sur la levée qui se trouve entre la ville de Tours et
les hauteurs de Saint-Georges, exposée au midi, entourée
de rochers, la propriété de madame de Listomère offrait 30
les agréments de la campagne et tous les plaisirs de la

ville. En effet, il ne fallait pas plus de dix minutes pour
venir du pont de Tours à la porte de cette maison, nommée *l'Alouette;* avantage précieux dans un pays où personne ne veut se déranger pour quoi que ce soit, même
5 pour aller chercher un plaisir. L'abbé Birotteau était à
l'Alouette depuis environ dix jours, lorsqu'un matin au
moment du déjeuner, le concierge vint lui dire que monsieur Caron désirait lui parler. Monsieur Caron était un
avocat chargé des affaires de mademoiselle Gamard.
10 Birotteau, ne s'en souvenant pas et ne se connaissant
aucun point litigieux à démêler avec qui que ce fût au
monde, quitta la table en proie à une sorte d'anxiété pour
chercher l'avocat: il le trouva modestement assis sur la
balustrade d'une terrasse.

15 «L'intention où vous êtes de ne plus loger chez mademoiselle Gamard étant devenue évidente...» dit l'homme
d'affaires.

«Eh! monsieur,» s'écria l'abbé Birotteau en interrompant, «je n'ai jamais pensé à la quitter.»

20 «Cependant, monsieur,» reprit l'avocat, «il faut bien
que vous vous soyez expliqué à cet égard avec mademoiselle, puisqu'elle m'envoie à la fin[1] de savoir si vous resterez
longtemps à la campagne. Le cas d'une longue absence,
n'ayant pas été prévu dans vos conventions, peut donner
25 matière à contestation. Or, mademoiselle Gamard entendant que votre pension...»

«Monsieur,» dit Birotteau surpris et interrompant
encore l'avocat, «je ne croyais pas qu'il fût nécessaire
d'employer des voies presque judiciaires pour...»

30 «Mademoiselle Gamard, qui veut prévenir toute diffi-

culté,» dit monsieur Caron, «m'a envoyé pour m'entendre avec vous.»

«Eh bien, si vous voulez avoir la complaisance de revenir demain,» reprit encore l'abbé Birotteau, «j'aurai consulté de mon côté.»

«Soit,» dit Caron en saluant.

Et le ronge-papiers[1] se retira. Le pauvre vicaire épouvanté de la persistance avec laquelle mademoiselle Gamard le poursuivait, rentra dans la salle à manger de madame de Listomère, en offrant une figure bouleversée. A son aspect, chacun de lui demander :[2] «Que vous arrive-t-il donc, monsieur Birotteau ?...»

L'abbé, désolé, s'assit sans répondre, tant il était frappé par les vagues images de son malheur. Mais, après le déjeuner, quand plusieurs de ses amis furent réunis dans le salon devant un bon feu, Birotteau leur raconta naïvement les détails de son aventure. Ses auditeurs, qui commençaient à s'ennuyer de leur séjour à la campagne, s'intéressèrent vivement à cette intrigue si bien en harmonie avec la vie de province. Chacun prit parti pour l'abbé contre la vieille fille.

«Comment !» lui dit madame de Listomère, «ne voyez-vous pas clairement que l'abbé Troubert veut votre logement. »

Ici, l'historien serait en droit de crayonner le portrait de cette dame; mais il a pensé que ceux mêmes auxquels le système de *cognomologie* de Sterne[3] est inconnu, ne pourraient pas prononcer ces trois mots: MADAME DE LISTOMÈRE, sans se la peindre noble, digne, tempérant les rigueurs de la piété par la vieille élégance des mœurs

monarchiques et classiques,[1] par des manières polies,
bonne, mais un peu raide; légèrement nasillarde;[2] se per-
mettant la lecture de la *Nouvelle Héloïse*,[3] la comédie,[4] et
se coiffant encore en cheveux.[5]

5   « Il ne faut pas que l'abbé Birotteau cède à cette vieille
tracassière ! » s'écria monsieur de Listomère, lieutenant de
vaisseau venu en congé chez sa tante. « Si le vicaire a du
cœur et veut suivre mes avis, il aura bientôt conquis sa
tranquillité. »

10   Enfin, chacun se mit à analyser les actions de mademoiselle Gamard avec la perspicacité particulière aux gens
de province, auxquels on ne peut refuser le talent de savoir mettre à nu les motifs les plus secrets des actions
humaines.

15   « Vous n'y êtes pas, »[6] dit un vieux propriétaire qui connaissait le pays. « Il y a là-dessous quelque chose de grave
que je ne saisis pas encore. L'abbé Troubert est trop profond pour être deviné si promptement. Notre cher Birotteau n'est qu'au commencement de ses peines. D'abord,
20 sera-t-il heureux et tranquille, même en cédant son logement à Troubert? J'en doute. Si Caron est venu vous
dire, » ajouta-t-il en se tournant vers le prêtre ébahi, « que
vous aviez l'intention de quitter mademoiselle Gamard,
sans doute mademoiselle Gamard a l'intention de vous
25 mettre hors de chez elle[7]. . . . Eh bien, vous en sortirez
bon gré mal gré. Ces sortes de gens ne hasardent jamais
rien, et ne jouent qu'à coup sûr. »[8]

Ce vieux gentilhomme, nommé monsieur de Bourbonne,
résumait toutes les idées de la province aussi complète-
30 ment que Voltaire[9] a résumé l'esprit de son époque. Ce
vieillard sec et maigre professait en matière d'habillement

toute l'indifférence d'un propriétaire dont la valeur terri-
toriale est cotée dans le département. Sa physionomie,
tannée par le soleil de la Touraine,[1] était moins spirituelle
que fine. Habitué à peser ses paroles, à combiner ses
actions, il cachait sa profonde circonspection sous une 5
simplicité trompeuse. Aussi l'observation la plus légère
suffisait-elle pour apercevoir que, semblable à un paysan
de Normandie,[2] il avait toujours l'avantage dans toutes
les affaires. Il était très supérieur en œnologie, la science
favorite des Tourangeaux. Il avait su arrondir les prairies 10
d'un de ses domaines aux dépens des lais de la Loire[3] en
évitant tout procès avec l'État. Ce bon tour le faisait
passer pour un homme de talent. Si, charmé par la conversation de monsieur de Bourbonne, vous eussiez de-
mandé sa biographie à quelque Tourangeau: «Oh! *c'est* 15
un vieux malin!» eût été la réponse proverbiale de tous
ses jaloux, et il en avait beaucoup. En Touraine, la jalousie forme, comme dans la plupart des provinces, *le fond
de la langue.*[4]

L'observation de monsieur de Bourbonne occasionna 20
momentanément un silence pendant lequel les personnes
qui composaient ce petit comité parurent réfléchir. Sur
ses entrefaites, mademoiselle Salomon de Villenoix fut
annoncée. Amenée par le désir d'être utile à Birotteau,
elle arrivait de Tours, et les nouvelles qu'elle en apportait 25
changèrent complètement la face des affaires. Au moment
de son arrivée, chacun, sauf le propriétaire, conseillait à
Birotteau de guerroyer contre Troubert et Gamard, sous
les auspices de la société aristocratique qui devait le
protéger.   30

«Le vicaire-général, auquel le travail du personnel[5]

est remis,» dit mademoiselle Salomon, «vient de tomber
malade, et l'archevêque a commis à sa place monsieur
l'abbé Troubert. Maintenant, la nomination au canonicat dépend donc entièrement de lui. Or, hier, chez
5 mademoiselle de la Blottière, l'abbé Poirel a parlé des
désagréments que l'abbé Birotteau causait à mademoiselle
Gamard, de manière à vouloir justifier la disgrâce dont
sera frappé notre bon abbé: 'L'abbé Birotteau est un
homme auquel l'abbé Chapeloud était bien nécessaire,'
10 disait-il; 'et depuis la mort de ce vertueux chanoine, il
a été prouvé que...' Les suppositions, les calomnies se
sont succédé. Vous comprenez?»

«Troubert sera vicaire-général,» dit solennellement
monsieur de Bourbonne.

15 «Voyons!» s'écria madame de Listomère en regardant
Birotteau, «que préférez-vous: être chanoine, ou rester
chez mademoiselle Gamard?»

«Être chanoine!» fut un cri général.

«Eh bien,» reprit madame de Listomère, «il faut don-
20 ner gain de cause[1] à l'abbé Troubert et à mademoiselle
Gamard. Ne vous font-ils pas savoir indirectement, par la
visite de Caron, que si vous consentez à les quitter vous
serez chanoine? Donnant, donnant!»[2]

Chacun se récria sur la finesse et la sagacité de madame
25 de Listomère, excepté le baron de Listomère, son neveu,
qui dit d'un ton comique à monsieur de Bourbonne: «J'aurais voulu le combat entre la *Gamard* et le *Birotteau*.»

Mais, pour le malheur du vicaire, les forces n'étaient
pas égales entre les gens du monde et la vieille fille sou-
30 tenue par l'abbé Troubert. Le moment arriva bientôt où
la lutte devait se dessiner plus franchement, s'agrandir,

et prendre des proportions énormes. Sur l'avis de madame
de Listomère et de la plupart de ses adhérents qui commençaient à se passionner pour cette intrigue jetée dans
le vide de leur vie provinciale, un valet fut expédié à
monsieur Caron. L'homme d'affaires revint avec une 5
célérité remarquable, et qui n'effraya que monsieur de
Bourbonne.

«Ajournons toute décision jusqu'à un plus ample informé,» fut l'avis de ce Fabius[1] en robe de chambre
auquel de profondes réflexions révélaient les hautes com- 10
binaisons de l'échiquier tourangeau.

Il voulut éclairer Birotteau sur les dangers de sa position. La sagesse du *vieux malin* ne servait pas les passions du moment, il n'obtint qu'une légère attention. La
conférence entre l'avocat et Birotteau dura peu. Le vi- 15
caire rentra tout effaré, disant: «Il me demande un écrit
qui constate mon *retrait*.»

«Quel est ce mot effroyable?» dit le lieutenant de vaisseau.

«Qu'est-ce que cela veut dire?» s'écria madame de 20
Listomère.

«Cela signifie simplement que l'abbé doit déclarer vouloir quitter la maison de mademoiselle Gamard,» répondit
monsieur de Bourbonne en prenant une prise de tabac.

«N'est-ce que cela? Signez!» dit madame de Listomère 25
en regardant Birotteau. «Si vous êtes décidé sérieusement
à sortir de chez elle, il n'y a aucun inconvénient à constater votre volonté...»

La *volonté de Birotteau!*

«Cela est juste,» dit monsieur de Bourbonne en fermant 30
sa tabatière par un geste sec dont la signification est im-

possible à rendre, car c'était tout un langage. « Mais il est
toujours dangereux d'écrire, » ajouta-t-il en posant sa tabatière sur la cheminée d'un air à épouvanter le vicaire.

  Birotteau se trouvait tellement hébété par le renverse-
5 ment de toutes ses idées, par la rapidité des événements
qui le surprenaient sans défense, par la facilité avec laquelle ses amis traitaient les affaires les plus chères de sa
vie solitaire, qu'il restait immobile, comme perdu dans la
lune, ne pensant à rien, mais écoutant et cherchant à com-
10 prendre le sens des rapides paroles que tout le monde
prodiguait. Il prit l'écrit de monsieur Caron et le lut,
comme si le *libelle* de l'avocat allait être l'objet de son
attention ; mais ce fut un mouvement machinal. Et il
signa cette pièce, par laquelle il reconnaissait renoncer
15 volontairement à demeurer chez mademoiselle Gamard,
comme à y être nourri suivant les conventions faites entre
eux. Quand le vicaire eut achevé d'apposer sa signature,
le sieur Caron reprit l'acte et lui demanda dans quel
endroit sa cliente devait faire remettre les choses à lui
20 appartenant. Birotteau indiqua la maison de madame de
Listomère. Par un signe, cette dame consentit à recevoir
l'abbé pour quelques jours, ne doutant pas qu'il ne fût
bientôt nommé chanoine. Le vieux propriétaire voulut
voir cette espèce d'acte de renonciation, et monsieur
25 Caron le lui apporta.

  « Eh bien, » demanda-t-il au vicaire après avoir lu, « il
existe donc entre vous et mademoiselle Gamard des conventions écrites ? où sont-elles ? quelles en sont les stipu-
lations ? »

30   « L'acte est chez moi, » répondit Birotteau.

« En connaissez-vous la teneur ? » demanda le propriétaire à l'avocat.

« Non, monsieur, » dit monsieur Caron en tendant la
main pour reprendre le papier fatal.

« Ah ! » se dit en lui-même le vieux propriétaire, « toi,
monsieur l'avocat, tu sais sans doute tout ce que cet acte
contient ; mais tu n'es pas payé pour nous le dire. »

Et monsieur de Bourbonne rendit la renonciation à
l'avocat.

« Où vais-je mettre tous mes meubles ? » s'écria Birotteau, « et mes livres, ma belle bibliothèque, mes beaux
tableaux, mon salon rouge, enfin tout mon mobilier ! »

Et le désespoir du pauvre homme, qui se trouvait dé-
planté pour ainsi dire, avait quelque chose de naïf ; il peignait si bien la pureté de ses mœurs, son ignorance des
choses du monde, que madame de Listomère et mademoiselle Salomon lui dirent pour le consoler, en prenant le
ton employé par les mères quand elles promettent un jouet
à leurs enfants : « N'allez-vous pas vous inquiéter de ces
niaiseries-là ? Mais nous vous trouverons bien une maison
moins froide, moins noire que celle de mademoiselle Gamard. S'il ne se rencontre pas de logement qui vous plaise,
eh bien, l'une de nous vous prendra chez elle en pension.
Allons, faisons un trictrac. Demain vous irez voir monsieur l'abbé Troubert pour lui demander son appui, et vous
verrez comme vous serez bien reçu par lui ! »

Les gens faibles se rassurent aussi facilement qu'ils se
sont effrayés. Donc le pauvre Birotteau, ébloui par la perspective de demeurer chez madame de Listomère, oublia
la ruine, consommée sans retour, du bonheur qu'il avait

si longtemps désiré, dont il avait si délicieusement joui.
Mais le soir, avant de s'endormir, et avec la douleur
d'un homme pour qui le tracas d'un déménagement et de
nouvelles habitudes étaient la fin du monde, il se tortura
5 l'esprit à chercher où il pourrait retrouver pour sa bibliothèque un emplacement aussi commode que l'était sa
galerie. En voyant ses livres errants, ses meubles dis-
loqués et son ménage en désordre, il se demandait mille
fois pourquoi la première année passée chez mademoiselle
10 Gamard avait été si douce, et la seconde si cruelle. Et
toujours son aventure était un puits sans fond où tombait
sa raison. Le canonicat ne lui semblait plus une compensation suffisante à tant de malheurs, il comparait sa
vie à un bas dont une seule maille échappée faisait dé-
15 chirer toute la trame. Mademoiselle Salomon lui restait.
Mais, en perdant ses vieilles illusions, le pauvre prêtre
n'osait plus croire à une jeune amitié.

Dans la *città dolente*[1] des vieilles filles, il s'en rencontre
beaucoup, surtout en France, dont la vie est un sacrifice
20 noblement offert tous les jours à de nobles sentiments.
Les unes demeurent fièrement fidèles à un cœur que la
mort leur a trop promptement ravi: martyres de l'amour,
elles trouvent le secret d'être femmes par l'âme. Les
autres obéissent à un orgueil de famille, qui, chaque jour
25 déchoit à notre honte, et se dévouent à la fortune d'un
frère, ou à des neveux orphelins: celles-là se font mères
en restant vierges. Ces vieilles filles atteignent au plus
haut héroïsme de leur sexe, en consacrant tous les sentiments féminins au culte du malheur. Elles idéalisent la
30 figure de la femme, en renonçant aux récompenses de sa
destinée et n'en acceptant que les peines. Elles vivent

alors entourées de la splendeur de leur dévouement, et
les hommes inclinent respectueusement la tête devant
leurs traits flétris. Mademoiselle de Sombreuil[1] n'a été
ni femme ni fille; elle fut et sera toujours une vivante
poésie. Mademoiselle Salomon appartenait à ces créa- 5
tures héroïques. Son dévouement était religieusement
sublime, en ce qu'il devait être sans gloire, après avoir
été une souffrance de tous les jours. Belle, jeune, elle fut
aimée, elle aima; son prétendu perdit la raison. Pendant
cinq années, elle s'était, avec le courage de l'amour, con- 10
sacrée au bonheur mécanique de ce malheureux, de qui
elle avait si bien épousé la folie qu'elle ne le croyait point
fou. C'était, du reste, une personne simple de manières,
franche en son langage, et dont le visage pâle ne manquait
pas de physionomie, malgré la régularité de ses traits. 15
Elle ne parlait jamais des événements de sa vie. Seulement, parfois, les tressaillements soudains qui lui échap-
paient en entendant le récit d'une aventure affreuse ou
triste, révélaient en elle les belles qualités que développent
les grandes douleurs. Elle était venue habiter Tours après 20
avoir perdu le compagnon de sa vie. Elle ne pouvait y
être appréciée à sa juste valeur, et passait pour une *bonne
personne*. Elle faisait beaucoup de bien, et s'attachait, par
goût, aux êtres faibles. A ce titre, le pauvre vicaire lui
avait inspiré naturellement un profond intérêt. 25

Mademoiselle de Villenoix, qui allait à la ville dès le matin, y emmena Birotteau, le mit sur le quai[2] de la Cathédrale, et le laissa s'acheminant vers le Cloître où il avait
grand désir d'arriver pour sauver au moins le canonicat
du naufrage, et veiller à l'enlèvement de son mobilier. Il 30
ne sonna pas sans éprouver de violentes palpitations de

cœur, à la porte de cette maison où il avait l'habitude de
venir depuis quatorze ans, qu'il avait habitée, et d'où il
devait s'exiler à jamais, après avoir rêvé d'y mourir en
paix, à l'imitation de son ami Chapeloud. Marianne fut
5 surprise de voir le vicaire. Il lui dit qu'il venait parler à
l'abbé Troubert, et se dirigea vers le rez-de-chaussée où
demeurait le chanoine; mais Marianne lui cria :

« L'abbé Troubert n'est plus là, monsieur le vicaire, il
est dans votre ancien logement. »

10 Ces mots causèrent un affreux saisissement au vicaire,
qui comprit enfin le caractère de Troubert et la profondeur d'une vengeance si lentement calculée, en le trouvant établi dans la bibliothèque de Chapeloud, assis dans
le beau fauteuil gothique de Chapeloud, couchant sans
15 doute dans le lit de Chapeloud, jouissant des meubles de
Chapeloud, annulant le testament de Chapeloud, et déshé-
ritant enfin l'ami de ce Chapeloud, qui, pendant si longtemps, l'avait parqué chez mademoiselle Gamard, en lui
interdisant tout avancement et lui fermant les salons de
20 Tours. Par quel coup de baguette magique cette métamorphose avait-elle eu lieu? Tout cela n'appartenait-il
donc plus à Birotteau? Certes, en voyant l'air sardonique
avec lequel Troubert contemplait cette bibliothèque, le
pauvre Birotteau jugea que le futur vicaire-général était
25 sûr de posséder toujours la dépouille de ceux qu'il avait
si cruellement haïs, Chapeloud comme un ennemi, et
Birotteau parce qu'en lui se retrouvait encore Chapeloud.
Mille idées se levèrent, à cet aspect, dans le cœur du bonhomme, et le plongèrent dans une sorte de songe. Il resta
30 immobile et comme fasciné par l'œil de Troubert, qui le
regardait fixement.

«Je ne pense pas, monsieur,» dit enfin Birotteau, «que vous vouliez me priver des choses qui m'appartiennent. Si mademoiselle Gamard a pu être impatiente de vous mieux loger, elle doit se montrer cependant assez juste pour me laisser le temps de reconnaître mes livres et 5 d'enlever mes meubles.»

«Monsieur,» dit froidement l'abbé Troubert en ne laissant paraître sur son visage aucune marque d'émotion, «mademoiselle Gamard m'a instruit hier de votre départ, dont la cause m'est encore inconnue. Si elle m'a installé 10 ici, ce fut par nécessité. Monsieur l'abbé Poirel a pris mon appartement. J'ignore si les choses qui sont dans ce logement appartiennent ou non à mademoiselle; mais si elles sont à vous, vous connaissez sa bonne foi: la sainteté de sa vie est une garantie de sa probité. Quant à 15 moi, vous n'ignorez pas la simplicité de mes mœurs. J'ai couché pendant quinze années dans une chambre nue sans faire attention à l'humidité qui m'a tué à la longue. Cependant, si vous vouliez habiter de nouveau cet appartement, je vous le céderais volontiers.» 20

En entendant ces mots terribles, Birotteau oublia l'affaire du canonicat, il descendit avec la promptitude d'un jeune homme pour chercher mademoiselle Gamard, et la rencontra au bas de l'escalier sur le large palier dallé qui unissait les deux corps de logis. 25

«Mademoiselle,» dit-il en la saluant et sans faire attention ni au sourire aigrement moqueur qu'elle avait sur les lèvres ni à la flamme extraordinaire qui donnait à ses yeux la clarté de ceux du tigre, «je ne m'explique pas comment vous n'avez pas attendu que j'aie enlevé mes 30 meubles, pour...»

« Quoi ! » lui dit-elle en l'interrompant. « Est-ce que tous vos effets n'auraient pas été remis chez madame de Listomère ? »

« Mais mon mobilier ? »

5 « Vous n'avez donc pas lu votre acte ? » dit la vieille fille d'un ton qu'il faudrait pouvoir écrire en musique pour faire comprendre combien la haine sut mettre de nuances dans l'accentuation de chaque mot.

Et mademoiselle Gamard parut grandir, et ses yeux 10 brillèrent encore, et son visage s'épanouit, et toute sa personne frissonna de plaisir. L'abbé Troubert ouvrit une fenêtre pour lire plus distinctement dans un volume in-folio. Birotteau resta comme foudroyé. Mademoiselle Gamard lui cornait aux oreilles, d'une voix aussi claire que 15 le son d'une trompette, les phrases suivantes : « N'est-il pas convenu, au cas où vous sortiriez de chez moi, que votre mobilier m'appartiendrait, pour m'indemniser de la différence qui existait entre la quotité de votre pension et celle du respectable abbé Chapeloud ? Or, monsieur l'abbé 20 Poirel ayant été nommé chanoine... »

En entendant ces derniers mots, Birotteau s'inclina faiblement, comme pour prendre congé de la vieille fille ; puis il sortit précipitamment. Il avait peur, en restant plus longtemps, de tomber en défaillance et de donner 25 ainsi un trop grand triomphe à de si implacables ennemis. Marchant comme un homme ivre, il gagna la maison de madame de Listomère, où il trouva dans une salle basse son linge, ses vêtements et ses papiers contenus dans une malle. A l'aspect des débris de son mobilier, le malheu-30 reux prêtre s'assit, et se cacha le visage dans ses mains pour dérober aux gens la vue de ses pleurs. L'abbé Poirel

était chanoine! Lui, Birotteau, se voyait sans asile, sans
fortune et sans mobilier! Heureusement, mademoiselle
Salomon vint à passer[1] en voiture. Le concierge de la maison, qui comprit le désespoir du pauvre homme, fit un
signe au cocher. Puis, après quelques mots échangés 5
entre la vieille fille et le concierge, le vicaire se laissa
conduire demi-mort près de sa fidèle amie, à laquelle il ne
put dire que des mots sans suite. Mademoiselle Salomon,
effrayée du dérangement momentané d'une tête déjà si
faible, l'emmena sur-le-champ à l'Alouette, en attribuant 10
ce commencement d'aliénation mentale à l'effet qu'avait
dû produire sur lui la nomination de l'abbé Poirel. Elle
ignorait les conventions du prêtre avec mademoiselle
Gamard, par l'excellente raison qu'il en ignorait lui-même
l'étendue. Et comme il est dans la nature que le comique 15
se trouve mêlé parfois aux choses les plus pathétiques, les
étranges réponses de Birotteau firent presque sourire
mademoiselle Salomon.

«Chapeloud avait raison,» disait-il. «C'est un monstre!»

«Qui?» demandait-elle.   20

«Chapeloud. Il m'a tout pris.»

«Poirel donc?»

«Non, Troubert.»

Enfin, ils arrivèrent à l'Alouette, où les amis du prêtre
lui prodiguèrent des soins si empressés, que, vers le soir, 25
ils le calmèrent, et purent obtenir de lui le récit de ce
qui s'était passé pendant la matinée.

Le flegmatique propriétaire demanda naturellement à
voir l'acte qui, depuis la veille, lui paraissait contenir le
mot de l'énigme. Birotteau tira le fatal papier timbré de 30
sa poche, le tendit à monsieur de Bourbonne, qui le lut

rapidement, et arriva bientôt à une clause ainsi conçue:

*Comme il se trouve une différence de huit cents francs par
an entre la pension que payait feu monsieur Chapeloud et
celle pour laquelle ladite Sophie Gamard consent à prendre*
5 *chez elle, aux conditions ci-dessus stipulées, ledit François
Birotteau; attendu que le soussigné François Birotteau re-
connaît surabondamment être hors d'état de donner pendant
plusieurs années le prix payé par les pensionnaires de la
demoiselle Gamard, et notamment par l'abbé Troubert; en-*
10 *fin, eu égard à diverses avances faites par ladite Sophie Gamard soussignée, ledit Birotteau s'engage à lui laisser à titre
d'indemnité le mobilier dont il se trouvera possesseur à son
décès, ou lorsque, par quelque cause que ce puisse être, il
viendrait à quitter volontairement, et à quelque époque que*
15 *ce soit, les lieux à lui présentement loués, et à ne plus profiter des avantages stipulés dans les engagements pris par
mademoiselle Gamard envers lui, ci-dessus...*

«Tudieu! quelle grosse!» s'écria le propriétaire, «et de
quelles griffes est armée ladite Sophie Gamard!»

20 Le pauvre Birotteau, n'imaginant dans sa cervelle d'enfant aucune cause qui pût le séparer un jour de mademoiselle Gamard, comptait mourir chez elle. Il n'avait aucun
souvenir de cette clause, dont les termes ne furent pas
même discutés jadis, tant elle lui avait semblé juste, lors-
25 que, dans son désir d'appartenir à la vieille fille, il aurait
signé tous les parchemins qu'on lui aurait présentés. Cette
innocence était si respectable, et la conduite de mademoiselle Gamard si atroce; le sort de ce pauvre sexagénaire
avait quelque chose de si déplorable, et sa faiblesse le
30 rendait si touchant, que, dans un premier moment d'in-
dignation, madame de Listomère s'écria: «Je suis cause

de la signature de l'acte qui vous a ruiné, je dois vous rendre le bonheur dont je vous ai privé.»

«Mais,» dit le vieux gentilhomme, «l'acte constitue un dol, et il y a matière à procès...»

«Eh bien! Birotteau plaidera. S'il perd à Tours, il gagnera à Orléans.[1] S'il perd à Orléans, il gagnera à Paris!» s'écria le baron de Listomère.

«S'il veut plaider,» reprit froidement monsieur de Bourbonne, «je lui conseille de se démettre d'abord de son vicariat.»

«Nous consulterons des avocats,» reprit madame de Listomère, «et nous plaiderons s'il faut plaider. Mais cette affaire est trop honteuse pour mademoiselle Gamard, et peut devenir trop nuisible à l'abbé Troubert, pour que nous n'obtenions pas quelque transaction.»

Après mûre délibération, chacun promit son assistance à l'abbé Birotteau dans la lutte qui allait s'engager entre lui et tous les adhérents de ses antagonistes. Un sûr pressentiment, un instinct provincial indéfinissable forçait chacun à unir les deux noms de Gamard et Troubert. Mais aucun de ceux qui se trouvaient alors chez madame de Listomère, excepté le vieux malin, n'avait une idée bien exacte de l'importance d'un semblable combat. Monsieur de Bourbonne attira dans un coin le pauvre abbé.

«Des quatorze personnes qui sont ici,» lui dit-il à voix basse, «il n'y en aura pas une pour vous dans quinze jours. Si vous avez besoin d'appeler quelqu'un à votre secours, vous ne trouverez peut-être alors que moi d'assez hardi pour oser prendre votre défense, parce que je connais la province, les hommes, les choses, et, mieux encore, les intérêts! Mais tous vos amis, quoique pleins de bonnes

intentions, vous mettent dans un mauvais chemin d'où
vous ne pourrez vous tirer. Écoutez mon conseil. Si vous
voulez vivre en paix, quittez le vicariat de Saint-Gatien,
quittez Tours. Ne dites pas où vous irez, mais allez cher-
5 cher quelque cure éloignée où Troubert ne puisse pas vous
rencontrer.»

«Abandonner Tours?» s'écria le vicaire avec un effroi
indescriptible.

C'était pour lui une sorte de mort. N'était-ce pas briser
10 toutes les racines par lesquelles il s'était planté dans le
monde? Les célibataires remplacent les sentiments par
des habitudes. Lorsqu'à ce système moral, qui les fait
moins vivre que traverser la vie, se joint un caractère
faible, les choses extérieures prennent sur eux un empire
15 étonnant. Aussi Birotteau était-il devenu semblable à
quelque végétal: le transplanter, c'était en risquer l'innocente fructification. De même que, pour vivre, un arbre
doit retrouver à toute heure les mêmes sucs, et toujours
avoir ses chevelus dans le même terrain, Birotteau devait
20 toujours trotter dans Saint-Gatien, toujours piétiner dans
l'endroit du Mail où il se promenait habituellement, sans
cesse parcourir les rues par lesquelles il passait, et conti-
nuer d'aller dans les trois salons, où il jouait, pendant
chaque soirée, au whist ou au trictrac.

25 «Ah! je n'y pensais pas,» répondit monsieur de Bourbonne en regardant le prêtre avec une espèce de pitié.

Tout le monde sut bientôt, dans la ville de Tours, que
madame la baronne de Listomère, veuve d'un lieutenant
général, recueillait l'abbé Birotteau, vicaire de Saint-
30 Gatien. Ce fait, que beaucoup de gens révoquaient en
doute, trancha nettement toutes les questions, et dessina

les partis, surtout lorsque mademoiselle Salomon osa, la
première, parler de dol et de procès. Avec la vanité subtile
qui distingue les vieilles filles, et le fanatisme de personnalité[1] qui les caractérise, mademoiselle Gamard se trouva
fortement blessée du parti que prenait madame de Listo- 5
mère. La baronne était une femme de haut rang, élégante
dans ses mœurs, et dont le bon goût, les manières polies,
la piété ne pouvaient être contestés. Elle donnait, en re-
cueillant Birotteau, le démenti le plus formel à toutes les
assertions de mademoiselle Gamard, en censurait indirec- 10
tement la conduite, et semblait sanctionner les plaintes
du vicaire contre son ancienne hôtesse.

Il est nécessaire, pour l'intelligence de cette histoire,
d'expliquer ici tout ce que le discernement et l'esprit d'a-
nalyse avec lequel les vieilles femmes se rendent compte 15
des actions d'autrui prêtaient de force à mademoiselle
Gamard, et quelles étaient les ressources de son parti.
Accompagnée du silencieux abbé Troubert, elle allait
passer ses soirées dans quatre ou cinq maisons où se réu-
nissaient une douzaine de personnes toutes liées entre elles 20
par les mêmes goûts, et par l'analogie de leur situation.
C'étaient un ou deux vieillards qui épousaient les passions
et les caquetages de leurs servantes; cinq ou six vieilles
filles qui passaient toute leur journée à tamiser les paroles,
à scruter les démarches de leurs voisins et des gens placés 25
au-dessous d'elles dans la société; puis enfin, plusieurs
femmes âgées, exclusivement occupées à distiller les mé-
disances, à tenir un registre exact de toutes les fortunes,
ou à contrôler les actions des autres: elles pronostiquaient
les mariages et blâmaient la conduite de leurs amies aussi 30
aigrement que celle de leurs ennemies. Ces personnes,

logées toutes dans la ville de manière à y figurer les vais-
seaux capillaires d'une plante, aspiraient, avec la soif d'une
feuille pour la rosée, les nouvelles, les secrets de chaque
ménage, les pompaient et les transmettaient machinale-
5 ment à l'abbé Troubert, comme les feuilles communiquent
à la tige la fraîcheur qu'elles ont absorbée. Donc, pendant
chaque soirée de la semaine, excitées par ce besoin d'émotion qui se retrouve chez tous les individus, ces bonnes
dévotes dressaient un bilan exact de la situation de la
10 ville, avec une sagacité digne du conseil des Dix,[1] et faisaient la police armée de cette espèce d'espionnage à coup
sûr que créent les passions. Puis, quand elles avaient deviné la raison secrète d'un événement, leur amour-propre
les portait à s'approprier la sagesse de leur sanhédrin,[2]
15 pour donner le ton du bavardage dans leurs zônes respec-
tives. Cette congrégation[3] oisive et agissante, invisible
et voyant tout, muette et parlant sans cesse, possédait
alors une influence que sa nullité rendait en apparence
peu nuisible, mais qui cependant devenait terrible quand
20 elle était animée par un intérêt majeur. Or, il y avait bien
longtemps qu'il ne s'était présenté dans la sphère de leurs
existences un événement aussi grave et aussi généralement
important pour chacune d'elles que l'était la lutte de Birotteau, soutenu par madame de Listomère, contre l'abbé
25 Troubert et mademoiselle Gamard. En effet, les trois salons de mesdames de Listomère, Merlin de la Blottière
et de Villenoix étant considérés comme ennemis par ceux
où allait mademoiselle Gamard, il y avait au fond de cette
querelle l'esprit de corps et toutes ses vanités. C'était le
30 combat du peuple et du sénat romain dans une taupinière,
ou une tempête dans un verre d'eau, comme l'a dit Montes-

quieu[1] en parlant de la république de Saint-Marin[2] dont les charges publiques ne duraient qu'un jour, tant la tyrannie y était facile à saisir. Mais cette tempête développait néanmoins dans les âmes autant de passions qu'il en aurait fallu pour diriger les plus grands intérêts sociaux. N'est-ce pas une erreur de croire que le temps ne soit rapide que pour les cœurs en proie aux vastes projets qui troublent la vie et la font bouillonner? Les heures de l'abbé Troubert coulaient aussi animées, s'enfuyaient chargées de pensées tout aussi soucieuses, étaient ridées par des désespoirs et des espérances aussi profondes que pouvaient l'être les heures cruelles de l'ambitieux, du joueur et de l'amant. Dieu seul est dans le secret de l'énergie que nous coûtent les triomphes occultement remportés sur les hommes, sur les choses et sur nous-mêmes. Si nous ne savons pas toujours où nous allons, nous connaissons bien les fatigues du voyage. Seulement, s'il est permis à l'historien de quitter le drame qu'il raconte pour prendre pendant un moment le rôle des critiques, s'il vous convie à jeter un coup d'œil sur les existences de ces vieilles filles et des deux abbés, afin d'y chercher la cause du malheur qui les viciait dans leur essence, il vous sera peut-être démontré qu'il est nécessaire à l'homme d'éprouver certaines passions pour développer en lui des qualités qui donnent à sa vie de la noblesse, en étendent le cercle, et assoupissent l'égoïsme naturel à toutes les créatures.

Madame de Listomère mena l'abbé Birotteau chez son avocat, à qui le procès ne parut pas chose facile. Les amis du vicaire, animés par le sentiment que donne la justice d'une bonne cause, ou paresseux pour un procès qui ne leur était pas personnel, avaient remis le commencement

de l'instance au jour où ils reviendraient à Tours. Les
amis de mademoiselle Gamard purent donc prendre les
devants, et surent raconter l'affaire peu favorablement
pour l'abbé Birotteau. Donc l'homme de loi, dont la clien-
5 tèle se composait exclusivement des gens pieux de la ville,
étonna beaucoup madame de Listomère en lui conseillant
de ne pas s'embarquer dans un semblable procès, et il
termina la conférence en disant «que, d'ailleurs, il ne s'en
chargerait pas, parce que, aux termes de l'acte, mademoi-
10 selle Gamard avait raison en droit; qu'en équité, c'est-à-
dire en dehors de la justice, l'abbé Birotteau paraîtrait,
aux yeux du tribunal et à ceux des honnêtes gens, manquer
au caractère de paix, de conciliation et à la mansuétude
qu'on lui avait supposés jusqu'alors; que mademoiselle
15 Gamard, connue pour une personne douce et facile à vivre,
avait obligé Birotteau en lui prêtant l'argent nécessaire
pour payer les droits successifs auxquels avait donné lieu
le testament de Chapeloud, sans lui en demander de reçu;
que Birotteau n'était pas d'âge et de caractère à signer
20 un acte sans savoir ce qu'il contenait, ni sans en connaître l'importance; et que s'il avait quitté mademoiselle
Gamard après deux ans d'habitation, quand son ami
Chapeloud était resté chez elle pendant douze ans, et
Troubert pendant quinze, ce ne pouvait être qu'en vue d'un
25 projet à lui connu; que le procès serait donc jugé comme
un acte d'ingratitude,» etc. Après avoir laissé Birotteau
marcher en avant vers l'escalier, l'avoué prit madame de
Listomère à part, en la reconduisant, et l'engagea, au nom
de son repos, à ne pas se mêler de cette affaire.

30 Cependant, le soir, le pauvre vicaire, qui se tourmentait
autant qu'un condamné à mort dans le cabanon de Bicêtre[1]

quand il y attend le résultat de son pourvoi en cassation, ne put s'empêcher d'apprendre à ses amis le résultat de sa visite, au moment où, avant l'heure de faire les parties,[1] le cercle se formait devant la cheminée de madame de Listomère. 5

« Excepté l'avoué des libéraux, je ne connais, à Tours, aucun homme de chicane[2] qui voulût se charger de ce procès sans avoir l'intention de le faire perdre,» s'écria monsieur de Bourbonne, «et je ne vous conseille pas de vous y embarquer.» 10

« Eh bien! c'est une infamie!» dit le lieutenant de vaisseau. «Moi, je conduirai l'abbé chez cet avoué.»

« Allez-y lorsqu'il fera nuit,» dit monsieur de Bourbonne en l'interrompant.

« Et pourquoi?» 15

« Je viens d'apprendre que l'abbé Troubert est nommé vicaire-général, à la place de celui qui est mort avant-hier.»

« Je me moque bien de l'abbé Troubert.»

Malheureusement, le baron de Listomère, homme de trente-six ans, ne vit pas le signe que lui fit monsieur de 20 Bourbonne, pour lui recommander de peser ses paroles, en lui montrant un conseiller de préfecture,[3] ami de Troubert. Le lieutenant de vaisseau ajouta donc:

« Si monsieur l'abbé Troubert est un fripon...»

« Oh!» dit monsieur de Bourbonne en l'interrompant, 25 «pourquoi mettre l'abbé Troubert dans une affaire à laquelle il est complètement étranger?»

« Mais,» reprit le baron, «ne jouit-il pas des meubles de l'abbé Birotteau? Je me souviens d'être allé chez Chapeloud, et d'y avoir vu deux tableaux de prix. Supposez 30 qu'ils valent dix mille francs? Croyez-vous que monsieur

Birotteau ait eu l'intention de donner, pour deux ans d'habitation chez cette Gamard, dix mille francs, quand déjà la bibliothèque et les meubles valent à peu près cette somme?»

5 L'abbé Birotteau ouvrit de grands yeux en apprenant qu'il avait possédé un capital si énorme.

Et le baron, poursuivant avec chaleur, ajouta: «Pardieu! monsieur Salmon, l'ancien expert du Musée de Paris,[1] est venu voir ici sa belle-mère. Je vais y aller ce 10 soir même, avec l'abbé Birotteau, pour le prier d'estimer les tableaux. De là je le mènerai chez l'avoué.»

Deux jours après cette conversation, le procès avait pris de la consistance. L'avoué des libéraux,[2] devenu celui de Birotteau, jetait beaucoup de défaveur sur la cause du 15 vicaire. Les gens opposés au gouvernement, et ceux qui étaient connus pour ne pas aimer les prêtres ou la religion, deux choses que beaucoup de gens confondent, s'emparèrent de cette affaire, et toute la ville en parla. L'ancien expert du Musée avait estimé onze mille francs la Vierge 20 du Valentin et le Christ de Lebrun, morceaux d'une beauté capitale. Quant à la bibliothèque et aux meubles gothiques, le goût dominant qui croissait de jour en jour à Paris pour ces sortes de choses leur donnait momentanément une valeur de douze mille francs. Enfin, l'expert, vérifica-25 tion faite, évalua le mobilier entier à dix mille écus. Or, il était évident que, Birotteau n'ayant pas entendu donner à mademoiselle Gamard cette somme énorme pour le peu d'argent qu'il pouvait lui devoir en vertu de la soulte stipulée, il y avait, judiciairement parlant, lieu à réformer 30 leurs conventions; autrement la vieille fille eût été coupable d'un dol volontaire. L'avoué des libéraux entama

donc l'affaire en lançant un exploit introductif d'instance[1]
à mademoiselle Gamard. Quoique très acerbe, cette pièce,
fortifiée par des citations d'arrêts souverains et corroborée
par quelques articles du Code,[2] n'en était pas moins un
chef-d'œuvre de logique judiciaire, et condamnait si évi- 5
demment la vieille fille, que trente ou quarante copies en
furent méchamment distribuées dans la ville par l'opposition.

Quelques jours après le commencement des hostilités
entre la vieille fille et Birotteau, le baron de Listomère, 10
qui espérait être compris, en qualité de capitaine de coi-
vette, dans la première promotion, annoncée depuis quelque temps au ministère de la marine, reçut une lettre par
laquelle un de ses amis lui annonçait qu'il était question
dans les bureaux de le mettre hors du cadre d'activité.[3] 15
Étrangement surpris de cette nouvelle, il partit immédiatement pour Paris, et vint à la première soirée du ministre,
qui en parut fort étonné lui-même, et se prit à rire en
apprenant les craintes dont lui fit part le baron de Listomère. Le lendemain, nonobstant la parole du ministre, 20
le baron consulta les bureaux. Par une indiscrétion que
certains chefs commettent assez ordinairement pour leurs
amis, un secrétaire lui montra un travail tout préparé, mais
que la maladie d'un directeur avait empêché jusqu'alors
d'être soumis au ministre, et qui confirmait la fatale nou- 25
velle. Aussitôt, le baron de Listomère alla chez un de ses
oncles, lequel, en sa qualité de député, pouvait voir immédiatement le ministre à la Chambre, et il le pria de
sonder les dispositions de Son Excellence, car il s'agissait
pour lui de la perte de son avenir. Aussi attendit-il avec 30
la plus vive anxiété, dans la voiture de son oncle, la fin

de la séance. Le député sortit bien avant la clôture, et dit
à son neveu pendant le chemin qu'il fit en se rendant à son
hôtel. «Comment diable vas-tu te mêler de faire la guerre
aux prêtres? Le ministre a commencé par m'apprendre
5 que tu t'étais mis à la tête des libéraux à Tours! Tu as
des opinions détestables, tu ne suis pas la ligne du gouvernement, etc. Ses phrases étaient aussi entortillées que
s'il parlait encore à la Chambre. Alors je lui ai dit: 'Ah
çà! entendons-nous?' Son Excellence a fini par m'avouer
10 que tu étais mal avec la grande aumônerie.¹ Bref, en de-
mandant quelques renseignements à mes collègues, j'ai
su que tu parlais fort légèrement d'un certain abbé Troubert, simple vicaire-général, mais le personnage le plus
important de la province où il représente la Congréga-
15 tion.² J'ai répondu pour toi corps pour corps au ministre.
Monsieur mon neveu, si tu veux faire ton chemin, ne te
crée aucune inimitié sacerdotale. Va vite à Tours, fais-y
ta paix avec ce diable de vicaire-général. Apprends que
les vicaires-généraux sont des hommes avec lesquels il
20 faut toujours vivre en paix. Morbleu! lorsque nous tra-
vaillons tous à rétablir la religion, il est stupide à un
lieutenant de vaisseau, qui veut être capitaine, de déconsidérer les prêtres. Si tu ne te raccommodes pas avec
l'abbé Troubert, ne compte plus sur moi: je te renierai.
25 Le ministre des affaires ecclésiastiques m'a parlé tout à
l'heure de cet homme comme d'un futur évêque. Si Troubert prenait notre famille en haine, il pourrait m'empêcher
d'être compris dans la prochaine fournée de pairs. Com-
prends-tu?»
30   Ces paroles expliquèrent au lieutenant de vaisseau les
secrètes occupations de Troubert, de qui Birotteau disait

niaisement: « Je ne sais pas à quoi lui sert de passer les nuits.»

La position du chanoine au milieu du sénat femelle qui faisait si subtilement la police de la province et sa capacité personnelle l'avaient fait choisir par la congrégation, entre tous les ecclésiastiques de la ville, pour être le proconsul[1] inconnu de la Touraine. Archevêque, général, préfet,[2] grands et petits étaient sous son occulte domination. Le baron de Listomère eut bientôt pris son parti.

« Je ne veux pas,» dit-il à son oncle, «recevoir une seconde bordée ecclésiastique dans mes *œuvres vives*.»[3]

Trois jours après cette conférence diplomatique entre l'oncle et le neveu, le marin, subitement revenu par la malle-poste à Tours, révélait à sa tante, le soir même de son arrivée, les dangers que couraient les plus chères espérances de la famille de Listomère, s'ils s'obstinaient l'un et l'autre à soutenir *cet imbécile de Birotteau*. Le baron avait retenu monsieur de Bourbonne au moment où le vieux gentilhomme prenait sa canne et son chapeau pour s'en aller après la partie de whist. Les lumières du vieux malin étaient indispensables pour éclairer les écueils dans lesquels se trouvaient engagés les Listomère, et le vieux malin n'avait prématurément cherché sa canne et son chapeau que pour se faire dire à l'oreille: « Restez, nous avons à causer.»

Le prompt retour du baron, son air de contentement, en désaccord avec la gravité peinte en certains moments sur sa figure, avaient accusé vaguement à monsieur de Bourbonne quelques échecs reçus par le lieutenant dans sa croisière contre Gamard et Troubert. Il ne marqua point de surprise en entendant le baron proclamer le secret pouvoir du vicaire-général congréganiste.[4]

« Je le savais,» dit-il.

« Eh bien,» s'écria la baronne, «pourquoi ne pas nous
avoir avertis?»

« Madame,» répondit-il vivement, «oubliez que j'ai de-
5 viné l'invisible influence de ce prêtre, et j'oublierai que
vous la connaissez également. Si nous ne gardions pas le
secret, nous passerions pour ses complices: nous serions
redoutés et haïs. Imitez-moi: feignez d'être une dupe;
mais sachez bien où vous mettez les pieds. Je vous en
10 avais assez dit, vous ne me compreniez point, et je ne
voulais pas me compromettre.»

« Comment devons-nous maintenant nous y prendre?»
dit le baron.

Abandonner Birotteau n'était pas une question,[1] et ce
15 fut une première condition sous-entendue par les trois
conseillers.

« Battre en retraite avec les honneurs de la guerre a
toujours été le chef-d'œuvre des plus habiles généraux,»
répondit monsieur de Bourbonne. «Pliez devant Trou-
20 bert, si sa haine est moins forte que sa vanité, vous vous
en ferez un allié; mais si vous pliez trop, il vous marchera
sur le ventre;[2] car

'Abîme tout[3] plutôt, c'est l'esprit de l'Église,'

a dit Boileau. Faites croire que vous quittez le service,
25 vous lui échappez, monsieur le baron. Renvoyez le vicaire, madame, vous donnerez gain de cause à la Gamard.
Demandez chez l'archevêque à l'abbé Troubert s'il sait le
whist, il vous dira *oui*. Priez-le de venir faire une partie
dans ce salon, où il veut être reçu; certes il y viendra.
30 Vous êtes femme, sachez mettre ce prêtre dans vos inté-

rêts. Quand le baron sera capitaine de vaisseau, son oncle
pair de France, Troubert évêque, vous pourrez faire Birotteau chanoine tout à votre aise. Jusque-là, pliez ; mais
pliez avec grâce et en menaçant. Votre famille peut prêter à Troubert autant d'appui qu'il vous en donnera ; vous 5
vous entendrez à merveille. D'ailleurs marchez la sonde
en main, marin !»

«Ce pauvre Birotteau !» dit la baronne.

«Oh ! entamez-le promptement,» répliqua le propriétaire
en s'en allant. «Si quelque libéral adroit s'emparait de 10
cette tête vide, il vous causerait des chagrins. Après tout,
les tribunaux prononceraient en sa faveur, et Troubert
doit avoir peur du jugement. Il peut encore vous pardonner d'avoir entamé le combat ! mais, après une défaite, il
serait implacable. J'ai dit.» 15

Il fit claquer sa tabatière, alla mettre ses doubles souliers, et partit.

Le lendemain matin, après le déjeuner, la baronne resta
seule avec le vicaire, et lui dit, non sans un visible embarras : «Mon cher monsieur Birotteau, vous allez trouver 20
mes demandes bien injustes et bien inconséquentes ; mais
il faut, pour vous et pour nous, d'abord éteindre votre
procès contre mademoiselle Gamard en vous désistant de
vos prétentions, puis quitter ma maison.» En entendant
ces mots le pauvre prêtre pâlit. «Je suis,» reprit-elle, «la 25
cause innocente de vos malheurs, et sais que sans mon
neveu vous n'eussiez pas intenté le procès qui fait maintenant votre chagrin et le nôtre. Mais écoutez !»

Elle lui déroula succinctement l'immense étendue de
cette affaire et lui expliqua la gravité de ses suites. Ses 30
méditations lui avaient fait deviner pendant la nuit les

antécédents probables de la vie de Troubert: elle put alors, sans se tromper, démontrer à Birotteau la trame dans laquelle l'avait enveloppé cette vengeance si habilement ourdie, lui révéler la haute capacité, le pouvoir de
5 son ennemi en lui en dévoilant la haine, en lui en apprenant les causes, en le lui montrant couché durant douze années devant Chapeloud, et dévorant Chapeloud et persécutant encore Chapeloud dans son ami. L'innocent Birotteau joignit ses mains comme pour prier et pleura de
10 chagrin à l'aspect d'horreurs humaines que son âme pure n'avait jamais soupçonnées. Aussi effrayé que s'il se fût trouvé sur le bord d'un abîme, il écoutait, les yeux fixes et humides mais sans exprimer aucune idée, le discours de sa bienfaitrice, qui lui dit en terminant: «Je sais tout ce
15 qu'il y a de mal à vous abandonner; mais, mon cher abbé, les devoirs de famille passent avant ceux de l'amitié. Cédez, comme je le fais, à cet orage, je vous en prouverai toute ma reconnaissance. Je ne vous parle pas de vos intérêts, je m'en charge. Vous serez hors de toute inquiétude
20 pour votre existence. Par l'entremise de Bourbonne, qui saura sauver les apparences, je ferai en sorte que rien ne vous manque. Mon ami, donnez-moi le droit de vous trahir. Je resterai votre amie, tout en me conformant aux maximes du monde. Décidez.»
25 Le pauvre abbé stupéfait s'écria: «Chapeloud avait donc raison en disant que, si Troubert pouvait venir le tirer par les pieds dans la tombe, il le ferait!... Il couche dans le lit de Chapeloud!»

«Il ne s'agit pas de se lamenter,» dit madame de Listo-
30 mère, «nous avons peu de temps à nous. Voyons!»

Birotteau avait trop de bonté pour ne pas obéir, dans

les grandes crises, au dévouement irréfléchi du premier
moment. Mais d'ailleurs sa vie n'était déjà plus qu'une
agonie. Il dit, en jetant à sa protectrice un regard désespérant qui la navra: «Je me confie à vous. Je ne suis plus
qu'un *bourrier* de la rue!»   5

Ce mot tourangeau n'a pas d'autre équivalent possible
que le mot *brin de paille*. Mais il y a de jolis petits brins
de paille, jaunes, polis, rayonnants, qui font le bonheur
des enfants; tandis que le bourrier est le brin de paille
décoloré, boueux, roulé dans les ruisseaux, chassé par la 10
tempête, tordu par les pieds du passant.

«Mais, madame, je ne voudrais pas laisser à l'abbé
Troubert le portrait de Chapeloud; il a été fait pour moi,
il m'appartient, obtenez qu'il me soit rendu, j'abandon-
nerai tout le reste.»   15

«Eh bien,» dit madame de Listomère, «j'irai chez mademoiselle Gamard.» Ces mots furent dits d'un ton qui ré-
véla l'effort extraordinaire que faisait la baronne de Listomère en s'abaissant à flatter l'orgueil de la vieille fille.
«Et,» ajouta-t-elle, «je tâcherai de tout arranger. A peine 20
osé-je l'espérer. Allez voir monsieur de Bourbonne, qu'il
minute votre désistement en bonne forme, apportez-m'en
l'acte bien en règle; puis, avec le secours de monseigneur
l'archevêque, peut-être pourrons-nous en finir.»

Birotteau sortit épouvanté. Troubert avait pris à ses 25
yeux les dimensions d'une pyramide d'Égypte. Les mains
de cet homme étaient à Paris et ses coudes dans le cloître
Saint-Gatien.

«Lui,» se dit-il, «empêcher monsieur le marquis de Listomère de devenir pair de France?... *Et peut-être, avec le* 30
secours de monseigneur l'archevêque, pourra-t-on en finir!»

En présence de si grands intérêts, Birotteau se trouvait comme un ciron : il se faisait justice.

La nouvelle du déménagement de Birotteau fut d'autant plus étonnante que la cause en était impénétrable. Madame de Listomère disait que, son neveu voulant se marier et quitter le service, elle avait besoin, pour agrandir son appartement, de celui du vicaire. Personne ne connaissait encore le désistement de Birotteau. Ainsi les instructions de monsieur de Bourbonne étaient sagement exécutées. Ces deux nouvelles, en parvenant aux oreilles du grand vicaire, devaient flatter son amour-propre en lui apprenant que, si elle ne capitulait pas, la famille de Listomère restait au moins neutre, et reconnaissait tacitement le pouvoir occulte de la congrégation : le reconnaître, n'est-ce pas s'y soumettre ? Mais le procès demeurait tout entier *sub judice.*[1] N'était-ce pas à la fois plier et menacer ?

Les Listomère avaient donc pris dans cette lutte une attitude exactement semblable à celle du grand vicaire : ils se tenaient en dehors et pouvaient tout diriger. Mais un événement grave survint et rendit encore plus difficile la réussite des desseins médités par monsieur de Bourbonne et par les Listomère pour apaiser le parti Gamard et Troubert. La veille, mademoiselle Gamard avait pris du froid en sortant de la cathédrale, s'était mise au lit et passait pour être dangereusement malade. Toute la ville retentissait de plaintes excitées par une fausse commisération : «La sensibilité de mademoiselle Gamard n'avait pu résister au scandale de ce procès. Malgré son bon droit, elle allait mourir de chagrin. Birotteau tuait sa bienfaitrice...» Telle était la substance des phrases jetées

en avant par le grand conciliabule femelle et complaisamment répétées par la ville de Tours.

Madame de Listomère eut la honte d'être venue chez la
vieille fille sans recueillir le fruit de sa visite. Elle demanda fort poliment à parler à monsieur le vicaire-général. 5
Flatté peut-être de recevoir dans la bibliothèque de Chapeloud et au coin de cette cheminée ornée des deux fameux
tableaux contestés, une femme par laquelle il avait été
méconnu, Troubert fit attendre la baronne un moment;
puis il consentit à lui donner audience. Jamais courtisan 10
ni diplomate ne mirent dans la discussion de leurs intérêts particuliers, ou dans la conduite d'une négociation
nationale, plus d'habileté, de dissimulation, de profondeur
que n'en déployèrent la baronne et l'abbé dans le moment
où ils se trouvèrent tous les deux en scène.[1] 15

Semblable au parrain qui, dans le moyen âge, armait
le champion et en fortifiait la valeur par d'utiles conseils,
au moment où il entrait en lice, le vieux malin avait dit
à la baronne: «N'oubliez pas votre rôle, vous êtes conciliatrice et non partie intéressée. Troubert est également 20
un médiateur. Pesez vos mots! étudiez les inflexions de
la voix du vicaire-général. S'il se caresse le menton, vous
l'aurez séduit.»

Quelques dessinateurs se sont amusés à représenter en
caricature le contraste fréquent qui existe entre *ce que l'on* 25
dit et *ce que l'on pense*. Ici, pour bien saisir l'intérêt du
duel de paroles qui eut lieu entre le prêtre et la grande
dame, il est nécessaire de dévoiler les pensées qu'ils ca-
chèrent mutuellement sous des phrases en apparence
insignifiantes. Madame de Listomère commença par té- 30

moigner le chagrin que lui causait le procès de Birotteau,
puis elle parla du désir qu'elle avait de voir terminer cette
affaire à la satisfaction des deux parties.

«Le mal est fait, madame,» dit l'abbé d'une voix grave,
5 «la vertueuse mademoiselle Gamard se meurt...» (*Je ne
m'intéresse pas plus à cette sotte fille qu'au Prêtre-Jean,*[1] pensait-il; *mais je voudrais bien vous mettre sa mort sur le dos,
et vous en inquiéter la conscience, si vous êtes assez niais
pour en prendre du souci.*)

10 «En apprenant sa maladie, monsieur,» lui répondit la
baronne, «j'ai exigé de monsieur le vicaire un désistement que j'apportais à cette sainte fille.» (*Je te devine,
rusé coquin!* pensait-elle; *mais nous voilà mis à l'abri de
tes calomnies. Quant à toi, si tu prends le désistement, tu
15 t'enferreras, tu avoueras ainsi ta complicité.*)

Il se fit un moment de silence.

«Les affaires temporelles de mademoiselle Gamard ne
me concernent pas,» dit enfin le prêtre en abaissant ses
larges paupières sur ses yeux d'aigle pour voiler ses émo-
20 tions. (*Oh! oh! vous ne me compromettrez pas! mais, Dieu
soit loué! les damnés avocats ne plaideront pas une affaire
qui pouvait me salir. Que veulent donc les Listomère, pour
se faire ainsi mes serviteurs?*)

«Monsieur,» répondit la baronne, «les affaires de mon-
25 sieur Birotteau me sont aussi étrangères que vous le sont
les intérêts de mademoiselle Gamard; mais malheureusement la religion peut souffrir de leurs débats, et je ne
vois en vous qu'un médiateur, là où moi-même j'agis en
conciliatrice.» (*Nous ne nous abuserons ni l'un ni l'autre,
30 monsieur Troubert,* pensait-elle. *Sentez-vous le tour épigram-
matique de cette réponse?*)

« La religion souffrir, madame ! » dit le grand vicaire. « La religion est trop haut située pour que les hommes puissent y porter atteinte. » (*La religion, c'est moi,* pensait-il.) « Dieu nous jugera sans erreur, madame, » ajouta-t-il, « je ne reconnais que son tribunal. »

« Eh bien, monsieur, » répondit-elle, « tâchons d'accorder les jugements des hommes avec les jugements de Dieu. » (*Oui, la religion, c'est toi.*)

L'abbé Troubert changea de ton : « Monsieur votre neveu n'est-il pas allé à Paris ? » (*Vous avez eu là de mes* 10 *nouvelles,* pensait-il. *Je puis vous écraser, vous qui m'avez méprisé. Vous venez capituler.*)

« Oui, monsieur, je vous remercie de l'intérêt que vous prenez à lui. Il retourne ce soir à Paris, il est mandé par le ministre, qui est parfait pour nous, et voudrait ne pas 15 lui voir quitter le service. » (*Jésuite, tu ne nous écraseras pas,* pensait-elle, *et ta plaisanterie est comprise.*) Un moment de silence. « Je ne trouve pas sa conduite convenable dans cette affaire, » reprit-elle, « mais il faut pardonner à un marin de ne pas se connaître en droit. » (*Faisons* 20 *alliance,* pensait-elle. *Nous ne gagnerons rien à guerroyer.*)

Un léger sourire de l'abbé se perdit dans les plis de son visage : « Il nous aura rendu le service de nous apprendre la valeur de ces deux peintures, » dit-il en regardant les tableaux, « elles seront un bel ornement pour la chapelle de 25 la Vierge. » (*Vous m'avez lancé une épigramme,* pensait-il, *en voici deux, nous sommes quittes, madame.*)

« Si vous les donniez à Saint-Gatien, je vous demanderais de me laisser offrir à l'église des cadres dignes du lieu et de l'œuvre. » (*Je voudrais bien te faire avouer que* 30 *tu convoitais les meubles de Birotteau,* pensait-elle.)

« Elles ne m'appartiennent pas, » dit le prêtre en se tenant toujours sur ses gardes.

« Mais voici, » dit madame de Listomère, « un acte qui
éteint toute discussion, et les rend à mademoiselle Ga-
5 mard. » Elle posa le désistement sur la table. (*Voyez,
monsieur*, pensait-elle, *combien j'ai de confiance en vous*.)
« Il est digne de vous, monsieur, » ajouta-t-elle, « digne
de votre beau caractère, de réconcilier deux chrétiens ;
quoique je prenne maintenant peu d'intérêt à monsieur
10 Birotteau. . . . »

« Mais il est votre pensionnaire, » dit-il en l'interrompant.

« Non, monsieur, il n'est plus chez moi. » (*La pairie de
mon beau-frère et le grade de mon neveu me font faire bien
15 des lâchetés*, pensait-elle.)

L'abbé demeura impassible, mais son attitude calme
était l'indice des émotions les plus violentes. Monsieur de
Bourbonne avait seul deviné le secret de cette paix apparente. Le prêtre triomphait !

20 « Pourquoi vous êtes-vous donc chargée de son désistement ? » demanda-t-il, excité par un sentiment analogue
à celui qui pousse une femme à se faire répéter des compliments.

« Je n'ai pu me défendre d'un mouvement de compas-
25 sion. Birotteau, dont le caractère faible doit vous être
connu, m'a suppliée de voir mademoiselle Gamard, afin
d'obtenir pour prix de sa renonciation à... »

L'abbé fronça ses sourcils.

« ... A des *droits* reconnus par des avocats distingués,
30 le portrait... »

Le prêtre regarda madame de Listomère.

«... Le portrait de Chapeloud,» dit-elle en continuant. «Je vous laisse le juge de sa prétention.» (*Tu serais condamné, si tu voulais plaider*, pensait-elle.)

L'accent que prit la baronne pour prononcer les mots *avocats distingués* fit voir au prêtre qu'elle connaissait le fort et le faible de l'ennemi. Madame de Listomère montra tant de talent à ce connaisseur émérite dans le cours de cette conversation qui se maintint longtemps sur ce ton, que l'abbé descendit chez mademoiselle Gamard pour aller chercher sa réponse à la transaction proposée.

Troubert revint bientôt.

«Madame, voici les paroles de la pauvre mourante: '*Monsieur l'abbé Chapeloud m'a témoigné trop d'amitié*,' m'a-t-elle dit, '*pour que je me sépare de son portrait.*' «Quant à moi,» reprit-il, «s'il m'appartenait, je ne le céderais à personne. J'ai porté des sentiments trop constants au pauvre défunt pour ne pas me croire le droit de disputer son image à tout le monde.»

«Monsieur, ne *nous brouillons* pas pour une mauvaise peinture.» (*Je m'en moque autant que vous vous en moquez vous-même*, pensait-elle.) «Gardez-la, nous en ferons faire une copie. Je m'applaudis d'avoir assoupi ce triste et déplorable procès, et j'y aurai personnellement gagné le plaisir de vous connaître. J'ai entendu parler de votre talent au whist. Vous pardonnerez à une femme d'être curieuse,» dit-elle en souriant. «Si vous vouliez venir jouer quelquefois chez moi, vous ne pouvez pas douter de l'accueil que vous y recevrez.»

Troubert se caressa le menton. (*Il est pris! Bourbonne avait raison*, pensait-elle, *il a sa dose de vanité.*)

En effet, le grand vicaire éprouvait en ce moment la

sensation délicieuse contre laquelle Mirabeau[1] ne savait
pas se défendre, quand, aux jours de sa puissance, il
voyait ouvrir devant sa voiture la porte cochère d'un
hôtel autrefois fermé pour lui.

5   «Madame,» répondit-il, «j'ai de trop grandes occupations pour aller dans le monde; mais pour vous, que ne
ferait-on pas?» (*La vieille fille va crever, j'entamerai les
Listomère, et les servirai s'ils me servent!* pensait-il. *Il
vaut mieux les avoir pour amis que pour ennemis.*)

10   Madame de Listomère retourna chez elle, espérant que
l'archevêque consommerait une œuvre de paix si heureusement commencée. Mais Birotteau ne devait pas même
profiter de son désistement. Madame de Listomère apprit
le lendemain la mort de mademoiselle Gamard. Le testa-
15   ment de la vieille fille ouvert, personne ne fut surpris en
apprenant qu'elle avait fait l'abbé Troubert son légataire
universel. Sa fortune fut estimée à cent mille écus. Le
vicaire-général envoya deux billets d'invitation[2] pour le
service et le convoi de son amie chez madame de Listo-
20   mère: l'un pour elle, l'autre pour son neveu.

«Il faut y aller,» dit-elle.

«Ça ne veut pas dire autre chose!» s'écria monsieur
de Bourbonne. «C'est une épreuve par laquelle monseigneur Troubert veut vous juger. Baron, allez jusqu'au
25   cimetière,» ajouta-t-il en se tournant vers le lieutenant
de vaisseau qui, pour son malheur, n'avait pas quitté
Tours.

Le service eut lieu, et fut d'une grande magnificence
ecclésiastique. Une seule personne y pleura. Ce fut Birot-
30   teau, qui, seul dans une chapelle écartée, et sans être vu,
se crut coupable de cette mort, et pria sincèrement pour

l'âme de la défunte, en déplorant avec amertume de n'avoir pas obtenu d'elle le pardon de ses torts.

L'abbé Troubert accompagna le corps de son amie jusqu'à la fosse où elle devait être enterrée. Arrivé sur le bord, il prononça un discours où, grâce à son talent, le tableau de la vie étroite menée par la testatrice prit des proportions monumentales. Les assistants remarquèrent ces paroles dans la péroraison:

«Cette vie pleine de jours acquis à Dieu et à sa religion, cette vie que décorent tant de belles actions faites dans le silence, tant de vertus modestes et ignorées, fut brisée par une douleur que nous appellerions imméritée, si, au bord de l'éternité, nous pouvions oublier que toutes nos afflictions nous sont envoyées par Dieu. Les nombreux amis de cette sainte fille, connaissant la noblesse et la candeur de son âme, prévoyaient qu'elle pouvait tout supporter, hormis des soupçons qui flétrissaient sa vie entière. Aussi, peut-être la Providence l'a-t-elle amenée au sein de Dieu pour l'enlever à nos misères. Heureux ceux qui peuvent reposer, ici-bas, en paix avec eux-mêmes, comme Sophie repose maintenant au séjour des bienheureux dans sa robe d'innocence!»

«Quand il eut achevé ce pompeux discours,» reprit monsieur de Bourbonne qui raconta les circonstances de l'enterrement à madame de Listomère au moment où, les parties finies et les portes fermées, ils furent seuls avec le baron, «figurez-vous, si cela est possible, ce Louis XI[1] en soutane, donnant ainsi le dernier coup de goupillon chargé d'eau bénite.» Monsieur de Bourbonne prit la pincette, et imita si bien le geste de l'abbé Troubert, que le baron et sa tante ne purent s'empêcher de sourire. «Là

seulement,» reprit le vieux propriétaire, «il s'est démenti.
Jusqu'alors, sa contenance avait été parfaite; mais il lui
a sans doute été impossible, en calfeutrant pour toujours
cette vieille fille qu'il méprisait souverainement et haïs-
5 sait peut-être autant qu'il a détesté Chapeloud, de ne pas
laisser percer sa joie dans un geste.»

Le lendemain matin, mademoiselle Salomon vint déjeuner chez madame de Listomère, et, en arrivant, lui dit
tout émue: «Notre pauvre abbé Birotteau a reçu tout à
10 l'heure un coup affreux, qui annonce les calculs les plus
étudiés de la haine. Il est nommé curé de Saint-Symphorien.»

Saint-Symphorien est un faubourg de Tours, situé au
delà du pont. Ce pont, un des plus beaux monuments de
15 l'architecture française, a dix-neuf cents pieds de long, et
les deux places qui le terminent à chaque bout sont absolument pareilles.

«Comprenez-vous?» reprit-elle après une pause et tout
étonnée de la froideur que marquait madame de Listomère
20 en apprenant cette nouvelle. «L'abbé Birotteau sera là
comme à cent lieues de Tours, de ses amis, de tout. N'est-
ce pas un exil d'autant plus affreux, qu'il est arraché à
une ville que ses yeux verront tous les jours, et où il ne
pourra plus guère venir? Lui qui, depuis ses malheurs,
25 peut à peine marcher, serait obligé de faire une lieue pour
nous voir. En ce moment, le malheureux est au lit, il a la
fièvre. Le presbytère de Saint-Symphorien est froid, humide, et la paroisse n'est pas assez riche pour le réparer.
Le pauvre vieillard va donc se trouver enterré dans un
30 véritable sépulcre. Quelle atroce combinaison!»

Maintenant il nous suffira peut-être, pour achever cette

histoire, de rapporter simplement quelques événements et d'esquisser un dernier tableau.

Cinq mois après, le vicaire-général fut nommé évêque. Madame de Listomère était morte, et laissait quinze cents francs de rente par testament à l'abbé Birotteau. Le jour où le testament de la baronne fut connu, monseigneur Hyacinthe,[1] évêque de Troyes, était sur le point de quitter la ville de Tours pour aller résider dans son diocèse; mais il retarda son départ. Furieux d'avoir été joué par une femme à laquelle il avait donné la main tandis qu'elle tendait secrètement la sienne à un homme qu'il regardait comme son ennemi, Troubert menaça de nouveau l'avenir du baron et la pairie du marquis de Listomère. Il dit en pleine assemblée, dans le salon de l'archevêque, un de ces mots ecclésiastiques, gros de vengeance et pleins de mielleuse mansuétude. L'ambitieux marin vint voir ce prêtre implacable, qui lui dicta sans doute de dures conditions; car la conduite du baron attesta le plus entier dévouement aux volontés du terrible congréganiste. Le nouvel évêque rendit, par un acte authentique, la maison de mademoiselle Gamard au chapitre de la cathédrale, il donna la bibliothèque et les livres de Chapeloud au petit séminaire,[2] il dédia les deux tableaux contestés à la chapelle de la Vierge; mais il garda le portrait de Chapeloud. Personne ne s'expliqua cet abandon presque total de la succession de mademoiselle Gamard. Monsieur de Bourbonne supposa que l'évêque en conservait secrètement la partie liquide,[3] afin d'être à même de tenir avec honneur son rang à Paris, s'il était porté au banc des évêques de la Chambre haute.[4] Enfin, la veille du départ de monseigneur Troubert, le *vieux malin* finit par deviner le dernier calcul

que cachât cette action, coup de grâce donné par la plus
persistante de toutes les vengeances à la plus faible de
toutes les victimes. Le legs de madame de Listomère à
Birotteau fut attaqué par le baron de Listomère sous
5 prétexte de captation! Quelques jours après l'exploit introductif d'instance,[1] le baron fut nommé capitaine de
vaisseau. Par une mesure disciplinaire, le curé de Saint-
Symphorien était interdit. Les supérieurs ecclésiastiques
jugeaient le procès par avance. L'assassin de feu Sophie
10 Gamard était donc un fripon! Si monseigneur Troubert
avait conservé la succession de la vieille fille, il eût été
difficile de faire censurer Birotteau.

Au moment où monseigneur Hyacinthe, évêque de
Troyes, venait en chaise de poste, le long du quai Saint-
15 Symphorien, pour se rendre à Paris, le pauvre abbé Birotteau avait été mis dans un fauteuil au soleil, au-dessus
d'une terrasse. Ce pauvre prêtre, frappé par son archevêque, était pâle et maigre. Le chagrin, empreint dans
tous les traits, décomposait entièrement ce visage qui
20 jadis était si doucement gai. La maladie jetait sur ses
yeux, naïvement animés autrefois par les plaisirs de la
bonne chère et dénués d'idées pesantes, un voile qui simu-
lait une pensée. Ce n'était plus que le squelette du Birotteau qui roulait, un an auparavant, si vide mais si content,
25 à travers le Cloître. L'évêque lança sur sa victime un regard de mépris et de pitié, puis il consentit à l'oublier, et
passa.

NOTES

NOTES

Page 1. — 1. **Tours,** one of the oldest cities in France, is Balzac's birth place.

2. **abbé,** a name applied in the Catholic church to ecclesiastics generally; translate *father*.

3. **chevet,** the end of the church opposite the main entrance. It is usually round and in cathedrals is at the eastern end.

4. **Saint-Gatien,** one of the principal churches of Tours, named after Gatianus, the first bishop of the diocese (about the year 250).

5. **que** here replaces *comme* of the line above.

6. **place de l'Archevêché,** square in front of the Archbishop's palace.

Page 2. — 1. **aumusse,** originally a hood covering the head and shoulders; here used figuratively.

2. **passer chanoine,** *to be promoted to the office of canon; passer,* originally *to pass an examination,* and then simply to be promoted.

3. **Grand'Rue,** *Main Street,* now called *Rue Nationale.*

4. **depuis l'aliénation,** etc. The property of the church was confiscated by the state in 1789 on account of the desperate condition of the state's finances.

5. **Psallette,** now called *Maîtrise,* the cathedral school where choir-boys were trained.

Page 3. — 1. **la Terreur,** the *Reign of Terror,* especially the period of the French Revolution from September 5, 1793, to the death of Robespierre, July 28, 1794.

2. **la Restauration** (of the Bourbons), the time from April, 1814, to July, 1830, minus Napoleon's "hundred days" in 1815.

Page 4. — 1. **hoc erat in votis,** *ardent prayers;* see Horace, *Satires,* II: 6, 1.

Page 5. — 1. **Napoléon,** by an agreement with the Pope, known as the "concordat," restored the liberty of Christian worship which had been abolished during the Reign of Terror.

Page 6. — 1. **Bande noire,** a body of speculators who bought up property confiscated during the Revolution and sold it off in small lots. Castles and abbeys were frequently demolished for the sake of the materials. The "Black Bands" were originally mercenary troops with black banners or armor.

2. **galerie,** a large, oblong room.

3. **Boulle,** a celebrated cabinet maker of Paris (1642–1732) whose furniture was usually richly inlaid with gold, ivory, etc.

4. **oratorien,** a member of the order of the Oratory, a sort of Home Missionary Society, established in France in 1611.

5. **Pères de l'Eglise,** certain orthodox teachers in the early Christian church from the second to the seventh centuries.

Page 7. — 1. **velours d'Utrecht,** a sort of plush made in Utrecht, Holland.

2. **Aubusson,** a town in central France, famous for its carpet factories.

Page 8. — 1. **allée du Mail,** *walk in the Mall,* "Mall" being an open space. The "Mail" in Tours occupies the site of the old ramparts.

2. **la Quotidienne,** a royalist paper.

3. **Gargantua,** one of the principal characters in a burlesque story by Rabelais (1483–1553). **Badbeck** was Gargantua's wife. Balzac, however, slightly misrepresents the situation.

Page 10. — 1. **à qui ses rabats,** etc., *qui* evidently refers to Birotteau and *ses* to Chapeloud. Thus the meaning is that Chapeloud's bands and albs were always so well laundered that they made Birotteau's head "swim" with envy or admiration.

2. **Sainte Thérèse** (1515–1584), a noble Spanish woman, noted for her piety. She had trances in which she saw visions.

3. **la pairie,** membership in the House of Peers or "Chambre haute" which was abolished in 1848.

Page 11. — 1. **cordon,** the string by which the janitor could pull the bolt of the door.

Page 12. — 1. **les trois quarts de dix heures sont sonnés,** *it has* *struck a quarter to eleven.* In Europe many of the town clocks strike every fifteen minutes.

2. **aura cru,** *must have thought.* The future is often used to denote a conjecture.

3. **chez lui,** *to his room.*

4. **sera éteint,** see note 2, above.

Page 13. — 1. **que,** for **quand**; see page 1, note 5.

2. **Valentin.** This probably refers to *Valentin de Boulogne* (1591–1634), a noted French painter of religious subjects.

3. **Lebrun (Charles),** a celebrated French painter (1619–1690).

Page 14. — 1. **attendu que j'ai descendu mon bougeoir,** *since I brought my candlestick down myself.*

Page 15. — 1. **Pourquoi m'en veut-elle,** *what has she against me?*

Page 16. — 1. **province,** in French, is often applied to any part of France outside of Paris.

Page 18. — 1. **discipline intérieure,** *domestic matters.*

2. **facile à vivre,** *easy to live with.*

Page 19. — 1. **Château-Renaud,** probably intended for *Château-renault,* about seventeen miles northeast of Tours.

2. **parquet en point de Hongrie,** *a floor of wood-blocks of Hungarian pattern.*

3. **quand,** for *quand même, even if.*

4. **aveuglé d'intelligence,** *dull in intellect,* so that he didn't *see* things quickly.

Page 20. — 1. **boston,** a game of cards said to have been invented by the officers for their amusement during the siege of Boston (1775-6).

Page 24. — 1. **portée sur des riens,** *resting on trifles.*

Pagg 25. — 1. **Il n'a pas déjà tant d'esprit,** *he isn't so clever after all.*

2. **en présence,** *in each other's company.*

Page 27. — 1. **vicaire-général,** *a kind of assistant bishop.*

Page 28. — 1. **rouler sur lui-même,** he was so short and stout that he seemed to roll rather than walk.

Page 30. — 1. **Sixte-Quint,** *Sixtus V,* Pope from 1585–1590. It is said that his election was due to his ill health since it was expected that his early death would open the way for some of his rivals. *Quint* (Latin *quintus*) is used only with the name of this pope and Charles V, Emperor of Germany.

2. **Vous êtes très sainement ici,** *you have a very healthy lodging here.*

3. **je suis ici en chanoine,** *I am lodged here like a canon.*

Page 31. — 1. **C'est,** colloquial for *ce sont.*

Page 32. — 1. **royalement carrée,** *royalement* here conveys the impression of magnificence or grandeur, and *une table royalement carrée* is simply a magnificent square table.

2. **chaise à patins,** *a chair raised on knobs or blocks.*

3. **par contenance,** *to keep himself in countenance;* in order to appear at ease.

Page 33. — 1. **béotienne,** *Beotian,* here, *dull* or *stupid.* The Beotians were regarded as dull by the rest of the Greeks.

2. Napoleon died May 5, 1821, but reports of his death had previously been circulated.

3. **Louis XVII,** the title given by the royalist party to the son of Louis XVI. He died January 8, 1795, at the age of ten years. Owing to the confusion of the times several pretenders to the throne later appeared.

4. **les Chambres,** *the House of Peers* and *the House of Deputies* or *Representatives.*

5. **plus de treize cent mille.** How many persons were executed during the Revolution it is impossible to state, but this is certainly a gross exaggeration. The number is usually estimated at sixteen to seventeen thousand.

Page 34. — 1. **Saint-Martin** is one of the most celebrated names in the ecclesiastical history of France. He was made Bishop of Tours in 374. The ruins of the abbey which he founded were sold to speculators after the Revolution and torn down in 1802 leaving two large towers to mark the spot.

2. **Saint-Gatien;** see page 1, note 4.

3. **d'une pièce,** *stiffly,* as if she had no joints.

4. **la statue du Commandeur**, an allusion to Molière's play *Don Juan*, in which the statue of the commander, whom Don Juan has killed, bows its head to him and later comes to supper with him.

5. **faisait le procès à son cœur**, *condemned her own heart*.

Page 36. — 1. **déjà**, *after all;* see page 25, note 1.

Page 41. — 1. **pour peu que**, almost equal to *si*, but always followed by the subjunctive.

2. **Touraine**, a former province in central France, its capital being Tours.

Page 42. — 1. **à la fin**, here = *afin*.

Page 43. — 1. **ronge-papiers**, a word apparently coined by Balzac in imitation of La Fontaine's "ronge-maille." It may be translated *pettifogger*. Balzac frequently speaks of lawyers in a contemptuous manner.

2. **de lui demander**, the so-called historical infinitive; translate as a past definite.

3. **cognomologie de Sterne**. In *Tristram Shandy*, I, 19, Sterne discusses the relation between names and their bearers.

Page 44. — 1. **classiques** here refers to the age of Louis XIV, the "classic" period of French literature.

2. **légèrement nasillarde**, *a little inclined to cant; nasillarde* means, literally, talking through the nose because hypocrites were supposed to speak in a whining tone.

3. **Nouvelle Héloïse**, by J. J. Rousseau (1712–1778), published in 1760, a novel of passion which certain strict persons might not consider it proper to read.

4. **la comédie**, here means going to the theatre.

5. **se coiffant encore en cheveux**, *still wearing her own hair; without false hair*, showing her to be somewhat old-fashioned.

6. **vous n'y êtes pas**, *you haven't hit it.*

7. **hors de chez elle**, *out of her house.*

8. **à coup sûr**, *with a sure stroke; without risk.*

9. **Voltaire**, whose real name was Marie-François Arouet (1694–1778) was the intellectual dictator of his time.

Page 45. — 1. See note 2, page 41.

2. **Normandie,** a former province in northwestern France. The Normans have a high reputation for shrewdness in business matters.

3. The **Loire,** the largest river in France, with a length of over six hundred miles, flows into the Atlantic Ocean.

4. **le fond de la langue,** *the essence of the language,* the most important word in it. The allusion is to Beaumarchais's play "*Le Mariage de Figaro.*"

5. **travail du personnel,** *supervision of the subordinate clergy of the diocese.*

Page 46. — 1. **donner gain de cause,** *yield;* let them win the case.

2, **donnant, donnant,** *tit for tat;* give that you may receive.

Page 47. — 1. **Fabius. Quintus Fabius Maximus** called "Cunctator," harassed Hannibal by delays and retreats.

Page 50. — 1. **città dolente,** *sorrowful abode.* The allusion is to Dante's "Inferno," III, 1.

Page 51. — 1. **Mademoiselle de Sombreuil,** daughter of the Marquis de Sombreuil, voluntarily accompanied her father to prison in 1792 and by her devotion succeeded in saving his life during the massacre of September.

2. **quai,** here evidently refers to the elevated pavement in front of the cathedral.

Page 55. — 1. **vint à passer,** *happened to pass.* Note the difference between *venir à* and *venir de.*

Page 57. — 1. **Orléans,** the seat of the Court of Appeals as Paris is of the Supreme Court.

Page 59. — 1. **fanatisme de personnalité,** *violent personal feelings.*

Page 60. — 1. **Conseil de Dix,** the *Supreme Council of Ten* which ruled the Republic of Venice. The rest of this sentence may be translated; *and mercilessly practiced that infallible espionage which passion begets.*

2. **Sanhédrin,** *Sanhedrim,* the Supreme council of the Jews.

3. **congrégation;** an allusion to the society called "la Congrégation," for which see page 66, note 2.

Page 61. — 1. **Montesquieu,** Charles de Secondat, Baron de (1689–1755), a writer on the Philosophy of History. There is, however, no such statement in his writings as the one here attributed to him.

2. **Saint-Marin,** *San Marino* on the west coast of the Adriatic is called the smallest republic in the world. It has a population of about ten thousand. The executive power is in the hands of two officials chosen for a period of six months.

Page 62. — 1. **Bicêtre,** a town near Paris containing an alms-house and insane asylum. The name is a corruption of Winchester, the Bishop of Winchester having built a castle there about 1285.

Page 63. — 1. **parties** here refers to the parties or sets for card games.

2. **homme de chicane,** *pettifogger, shyster;* see also note 1, page 43.

3. **conseiller de préfecture,** a member of the *Conseil de Préfecture,* a tribunal in each department presided over by the "préfet."

Page 64. — 1. **Musée de Paris,** the *Louvre.* The public art collections of Paris have salaried experts attached to them.

2. **libéraux,** the *Liberals,* or party of the opposition.

Page 65. — 1. **exploit introductif d'instance,** *a summons for a preliminary trial.*

2. **Code,** the *Code Napoléon,* framed under the direction of Napoleon from 1801 to 1804, has remained to the present time the chief body of French civil law.

3. **mettre hors du cadre d'activité,** *put on the retired list.*

Page 66. — 1. **mal avec la grande aumônerie,** *on bad terms with the ecclesiastical powers; aumônerie* is the court chaplaincy, a high office in the church.

2. **Congrégation,** a name given under the Restoration to a religious and political semi-secret society which was opposed to the liberal opinions of the time.

Page 67. — 1. **proconsul,** the Roman proconsul was an absolute ruler.

2. **préfet,** *Prefect,* the chief executive officer of a department.

3. **dans mes œuvres vives,** *below my water line;* a nautical expression.

4. **congréganiste**, *Congregational;* see page 66, note 2.

Page 68. — 1. **n'était pas une question**, *was not even mentioned* it was taken for granted.

2. **il vous marchera sur le ventre**, *he will walk over you.*

3. **Abîme tout**, *etc.* The couplet is:

> "Pour soutenir les droits, que le ciel autorise,
> Abîme tout plutôt, c'est l'esprit de l'église."

Taken from Boileau's mock epic "Le Lutrin," the subject of which is a dispute between the treasurer and the choir-master of a church as to where the reading-desk (*lutrin*) should stand. Nicolas Boileau-Despréaux (1636–1711) was a poet, satirist and the leading critic of his day.

Page 72. — 1. **sub judice**, *undecided.*

Page 73. — 1. **en scène**, literally, *on the stage*, here, *in each other's presence.*

Page 74. — 1. **Prêtre-Jean**, a legendary ruler of Central Asia in the Middle Ages.

Page 78. — 1. **Mirabeau** (1749–1791), the distinguished orator of the French Revolution, advocated a constitutional monarchy and was therefore flattered by the royalists who feared a republic.

2. **billets d'invitation.** It is customary in France to send formal invitations to a funeral.

Page 79. — 1. **Louis XI**, King of France from 1461 to 1483, was an able ruler and usually accomplished his purposes by trickery and cunning when violence was ineffective. His character is well shown in Scott's "Quentin Durward."

Page 81. — 1. **Hyacinthe** (Troubert) had been appointed bishop and, as is the custom, dropped his family name.

2. **petit séminaire**, an academy under church control, intended chiefly for candidates for the priesthood.

3. **la partie liquide**, *the cash part*, or what could easily be turned into money.

4. **la Chambre haute**, *the House of Peers* in which bishops also sat as they do in England.

Page 82. — 1. **exploit introductif d'instance**; see page 65, note 1.

VOCABULARY

A

abaisser, to lower, humble.
abandon, m., absence, giving up.
abasourdir, to stun, bewilder.
abbaye, f., abbey.
abbé, m., priest.
abîme, m., abyss.
abîmer, to destroy.
abondamment, abundantly, entirely.
abord, m., approach; d'—, at first; dès l'—, at the very first.
aboyer, to bark.
abreuver, to overwhelm.
abri, m., shelter; mettre à l'—, to protect.
abstenir (s'), to abstain.
abuser, to deceive.
acajou, m., mahogany.
accabler, to oppress, torment.
accentuer, to emphasize.
accès, m., approach, entrance.
accessoire, m., furnishing.
accompli, -e, accomplished, perfect.
accomplir, to accomplish, perform; s'—, to be fulfilled.
accorder, to allow, give, make agree.
accoucher, to give birth.
accroissement, m., increase.
accroître (s'), to increase.
accueil, m., reception, welcome.
accueillir, to receive.
accuser, to accuse, reveal.
acerbe, sharp. severe.
acheminer (s'), to walk, go.

achever, to finish.
acquérir, to acquire, purchase.
acte, m., act, document, paper.
adapter, to fit.
admettre, to admit.
adosser, to set with the back to.
adoucir, to soften, moderate.
adroit, -e, cunning, shrewd, artful.
adroitement, skilfully.
affreu-x, -se, frightful, horrible.
afin, in order.
âgé, -e, old.
agir, to act; il s'agit, the question is.
agissant, -e, active, busy.
agneau, m., lamb.
agrafe, f., clasp, buckle.
agrandir, to enlarge; s'—, to increase, grow.
agrément, m., pleasure, charm.
aigle, m., eagle.
aigre, harsh, shrill.
aigrement, sharply, harshly.
aigreur, f., harshness.
ailleurs, elsewhere; d'—, moreover.
aimable, kind, good natured.
aimer, to love.
ainsi, thus, so; — que, even as; pour — dire, so to speak.
air, m., appearance.
aise, f., ease, comfort.
ajourner, to put off, postpone.
ajouter, to add.
aliment, m., nourishment.
allée, f., walk.
aller, to go.

allié, *m.*, ally.
allons, come!
allumer, to light.
allure, *f.*, gait, pace, step.
alors, then.
alouette, *f.*, lark.
altérer, to change, impair, injure.
alternativement, alternately.
alti-er, –ère, haughty, proud.
amabilité, *f.*, good nature.
amant, *m.*, lover.
amasser, to heap up, gather.
âme, *f.*, soul, mind.
amende, *f.*, penalty; — honorable, apology.
amener, to bring.
am-er, –ère, bitter, harsh.
amertume, *f.*, bitterness, ill will.
ami, *m.*, -e, *f.*, friend.
amitié, *f.*, friendship.
amour, *m.*, love; —-propre, self esteem.
ample, large.
amuser, to amuse, entertain.
an, *m.*, year.
analogue, similar.
analyse, *f.*, analysis.
ancien, –ne, ancient, old, former.
angoisse, *f.*, anguish, pain.
animer, to animate.
année, *f.*, year.
annoncer, to inform of.
annuler, to annul.
antichambre, *f.*, vestibule.
antiquaire, *m.*, antiquary.
antique, old.
apaiser, to appease.
apercevoir, to perceive, see; s'— de, to discover.
apparent, -e, evident.
appartement, *m.*, lodgings.
appartenir, to belong.
appeler, to call, name.
applaudir, to applaud, flatter.
apporter, to bring.
apposer, to affix.
apprécier, to appreciate.

apprendre, to learn, hear, teach.
approprier, to appropriate, attribute.
appui, *m.*, support.
appuyer, to lean.
après, after, later; d'—, to by
araignée, *f.*, spider.
arbitre, *m.*, umpire.
arbre, *m.*, tree.
arc, *m.*, bow, arch.
arc-boutant, *m.*, buttress.
archéologue, *m.*, archeologist.
archevêché, *m.*, archbishopric; the archbishop's residence.
archevêque, *m.*, archbishop.
argent, *m.*, silver, money.
aride, dry, cold, harsh.
armer, to arm.
arracher, to draw, snatch.
arrêt, *m.*, decree, judgment; — souverain, final judgment.
arrêter, to stop.
arrivée, *f.*, arrival.
arriver, to come, happen.
arrondir, to round out, enlarge.
arrosement, *m.*, wetting.
arroser, to water, wet.
asile, *m.*, refuge, shelter.
aspect, *m.*, sight, appearance.
aspérité, *f.*, asperity, roughness.
aspirer, to inhale.
assaisonnement, *m.*, seasoning.
assaisonner, to season, prepare.
asseoir (s'), to sit down.
assez, enough, quite, rather.
assiduité, *f.*, regularity.
assis, -e, seated.
assistant, *m.*, auditor, witness.
assoupir, to calm, deaden.
assurer, to assure.
atroce, atrocious.
attacher, to fasten, attach.
atteindre, to reach, arrive.
atteinte, *f.*, blow, injury.
attendre, to wait for, expect, wait.
attendu que, considering that.
attente, *f.*, expectation, waiting.

attester, to show.
attirer, to draw.
attraper, to catch.
attrayant, -e, attractive.
aube, *f.*, alb.
aucun, -e, none, not any.
au-dessous, below, under.
au-dessus, above.
audience, *f.*, hearing, audience.
auditeur, *m.*, hearer.
aujourd'hui, today.
aumusse, *f.*, hood.
auparavant, before.
auprès, near, with; — **de**, to.
auquel, to which, to whom.
aussi, too, also, therefore, so; as.
aussitôt, immediately; — **que**, as soon as.
autant, as much, so much, so many.
automne, *m.*, autumn.
autoriser, to authorize.
autour de, about, around.
autre, other.
autrefois, formerly.
autrement, otherwise.
autrui, others.
avance, *f.*, advance; **par —**, in advance.
avancement, *m.*, promotion.
avancer, to advance.
avant, before; **en —**, forward.
avantage, *m.*, advantage.
avant-hier, day before yesterday.
avant-scène, *f.*, introduction.
avec, with.
avenir, *m.*, the future.
averse, *f.*, shower.
avertir, to warn, inform. [tice.
avertissement, *m.*, warning, no-
aveugle, blind.
aveugler, to blind.
avis, *m.*, opinion, advice.
aviser (s'), to take it into one's head; bethink oneself.
avocat, *m.*, lawyer.

avoir, to have; **il y a**, there is, there are.
avorter, to miscarry, fail.
avoué, *m.*, lawyer.
avouer, to confess, own.

B

badines, *f. pl.*, tongs.
bagatelle, *f.*, trifle.
baguette, *f.*, rod, wand.
baisser, to lower.
banc, *m.*, bench.
baptême, *m.*, baptism.
baronne, *f.*, baroness.
bas, -se, low, mean.
bas, *m.*, bottom, stocking.
bast, well!
bâtiment, *m.*, building.
bâtir, to build.
battre, to beat; — **en retraite**, to retreat.
bavardage, *m.*, talk, gossip.
beau *or* **bel**, -le, beautiful, fine; **il fait beau**, it is fine weather.
beaucoup, many, much.
beau-frère, *m.*, brother-in-law.
beauté, *f.*, beauty.
bec, *m.*, beak, bill.
belle-mère, *f.*, mother-in-law.
bénir, to bless.
bénit, -e, holy.
bénitier, *m.*, holy-water basin.
béotien, -ne, narrow, stupid.
bergère, *f.*, easy-chair.
besoin, *m.*, need, want.
bête, *f.*, animal, lower nature.
bêtise, *f.*, stupidity.
bibliothèque, *f.*, library, book-case.
bien, *m.*, comfort, estate; property. [many.
bien, well, much, indeed, very,
bien-aimé, -e, beloved, dear.
bien-être, *m.*, well-being.
bienfait-eur, -rice, benefactor, benefactress.

bienheureu-x, -se, blessed, happy.

bientôt, soon.

bienveillant, -e, kind.

bilan, *m.*, balance-sheet.

bilieu-x, -se, bilious.

billet, *m.*, note, card, ticket.

blâmer, to censure.

blanc, -he, white.

blanchir, to whiten, whitewash.

blé, *m.*, wheat.

blesser, to wound, hurt.

bleu, -e, blue.

bloc, *m.*, lump, bulk.

boire, to drink.

bois, *m.*, wood.

boiserie, *f.*, wainscoting, wood-work.

bol, *m.*, bowl, basin.

bon, -ne, good.

bond, *m.*, bound.

bondir, to bound.

bonheur, *m.*, happiness.

bonhomie, *f.*, good nature, simplicity.

bonhomme, *m.*, good-natured man.

bonté, *f.*, goodness, kindness.

bord, *m.*, edge, border.

bordée, *f.*, broadside, volley.

border, to border.

borne, *f.*, limit.

borné, -e, limited, shallow.

bouche, *f.*, mouth.

boucher, *m.*, butcher.

boue, *f.*, mud.

boueu-x, -se, dirty.

bouffée, *f.*, puff, gust.

bougeoir, *m.*, candlestick.

bouger, to budge, move.

bouillonner, to boil.

bouleverser, to upset, dismay.

bouquin, *m.*, old book.

bourdonnement, *m.*, buzzing, noise.

bourgeois, -e, common, middle-class.

bourrier, *m.*, bit of chaff.

bout, *m.*, end, tip.

bouton, *m.*, button, bud.

bras, *m.*, arm.

brebis, *f.*, sheep.

bref, in short.

briller, to shine, blaze.

brin, *m.*, bit.

brique, *f.*, brick.

brise, *f.*, breeze.

briser, to break.

brouiller, to mix, confuse; se —, to fall out, quarrel.

broyer, to grind.

bruit, *m.*, noise.

brûler, to burn.

brunir, to turn brown.

bûche, *f.*, log.

buis, *m.*, box-wood.

bureau, *m.*, office.

but, *m.*, aim, design.

C

çà, here, there, well!

ça, that.

cabanon, *m.*, cell.

cabinet, *m.*, study, office.

cacher, to hide, conceal.

cadre, *m.*, list of officers.

café, *m.*, coffee.

caillouteu-x, -se, stony.

calcul, *m.*, calculation, deliberation.

calfeutrer, to shut up.

calomnie, *f.*, calumny, slander.

calotte, *f.*, cap.

camarade, *m. f.*, comrade, companion.

cambrer, to bend.

campagne, *f.*, country, country-house.

canne, *f.*, cane, bamboo.

canonicat, *m.*, canonry.

capillaire, capillary.

capitaine, *m.*, captain.

capital,-e, chief, great, supreme.

capituler, to surrender.

captation, *f.*, undue influence.

caquetage, *m.*, tattling, gossip.

caractère, *m.*, character, dignity.

caresser, to stroke, fondle, flatter, indulge.

carillon, *m.*, peal, ringing.

carlin, *m.*, pug-dog.

carnet, *m.*, note-book.

carré, –e, square.

carrelage, *m.*, pavement, floor.

carte, *f.*, card, ticket.

cartel, *m.*, clock.

cas, *m.*, case.

cassation, *f.*, reversal, repeal.

casser, to break, crack.

causer, to cause, occasion, talk.

ce, cet, *m.*, **cette,** *f.*, **ces,** *pl.*, this, these; that, those.

ceci, this.

céder, to yield.

cela, that.

célérité, *f.*, celerity, speed.

céleste, heavenly.

célibataire, *m.*, bachelor.

celle, she, that.

cellule, *f.*, cell.

celui, *m.*, **celle,** *f.*, **ceux, celles,** he, him; she, her; they, them; that, those.

celui-ci, the former.

celui-là, the latter.

cendres, *f. pl.*, ashes.

cent, hundred.

cependant, however, yet.

cercle, *m.*, circle, company.

certes, indeed, surely.

cervelle, *f.*, brains.

cesse, *f.*, cessation.

cesser, to cease.

cet, cette, this, that.

ceux, these, those.

chacun, –e, every one.

chagrin, *m.*, grief, vexation.

chagriner (se), to grieve, mourn.

chair, *f.*, flesh.

chaise, *f.*, chair; — **de poste,** coach.

chaleur, *f.*, heat, vivacity.

chambranle, *m.*, casing, side.

chambre, *f.*, room, apartment.

champ, *m.*, field.

changement, *m.*, alteration.

changer, to change, alter.

chanoine, *m.*, canon.

chant, *m.*, singing, chanting.

chanter, to sing.

chantre, *m.*, precentor.

chapeau, *m.*, hat.

chapelle, *f.*, chapel.

chapitre, *m.*, chapter.

chaque, each, every.

char, *m.*, car, chariot.

charge, *f.*, load, place, employment.

charger, to charge, order, undertake; **se —,** to take charge.

charmant, –e, charming, delightful.

chasser, to drive.

chat, *m.*, cat.

château, *m.*, castle, mansion.

chaud, –e, hot, warm.

chauffage, *m.*, warming; **bois de —,** fire-wood.

chauffer, to heat, warm.

chausson, *m.*, warm extra sock.

chef, *m.*, chief, head.

chef-d'œuvre, *m.*, master-piece.

chemin, *m.*, way, road.

cheminée, *f.*, fire-place, mantelshelf.

chêne, *m.*, oak.

ch-er, –ère, dear.

chercher, to seek, look for.

chère, *f.*, cheer, living.

cheval, *m.*, horse.

chevelu, *m.*, fibre, rootlet.

chevet, *m.*, apsis.

cheveu, *m.*, hair.

chez, at, to, in, at the home of.

chicane, *f.*, pettifogging, trickery.

chiffon, *m.*, rag, bit of finery.

chimère, *f.*, fancy, whim.

chiné, –e, variegated.

chirographaire, in writing.

choisir, to choose, select.
choix, *m.,* choice, selection.
chose, *f.,* thing.
choucas, *m.,* jackdaw.
chrétien, –ne, Christian.
cicatrice, *f.,* scar, seam.
ci-dessous, below.
ci-dessus, above.
ciel, heaven, sky.
cimetière, *m.,* cemetery.
cinq, five.
cinquante, fifty.
cintre, *m.,* arch.
circuler, to move about.
cirer, to wax, oil.
ciron, *m.,* worm, mite.
clair, –e, clear, bright.
clairement, clearly.
claquer, snap, rattle, clack.
clarté, *f.,* brightness.
classer, to classify.
clef, *f.,* key.
clergé, *m.,* clergy.
clientèle, *f.,* clients.
cloche, *f.,* bell.
clocher, *m.,* steeple.
cloître, *m.,* cloister.
clôture, *f.,* enclosure, fence, clos-ing, door, wall.
cocher, *m.,* coachman.
coefficient, –e, sufficient.
cœur, *m.,* heart, mind, courage.
coiffer de nuit (se), to put on a night cap.
coin, *m.,* corner, angle.
combien, how much, how many.
combinaison, *f.,* combination, intrigue.
combler, to heap, overwhelm.
comité, *m.,* party, committee.
commander, to order.
comme, as, like, as if. [ion.
commensal, *m.,* table compan-
comment, how, why.
commettre, commit, assign.
commode, convenient.
commode, *f.,* chest of drawers, bureau.

compagnie, *f.,* society, compa-ny; **de bonne —,** well-bred.
complaire, to please.
complaisamment, obligingly.
complaisance, *f.,* kindness.
complice, *m. f.,* accomplice.
complicité, *f.,* complicity.
composer, to make up.
comprendre, to include, under-stand.
compromettre, to compromise.
compte, *m.,* account.
compter, to expect, count.
concevoir, to imagine, entertain, word.
concierge, *m.,* doorkeeper.
conciliabule, *m.,* secret council.
conciliatrice, *f.,* peace-maker.
concordance, *f.,* agreement.
concupiscence, *f.,* desire, wish.
concurrent, *m.,* competitor.
condamner, to condemn.
conduire, to guide, induce.
conduite, *f.,* conduct, behavior.
confiance, *f.,* confidence.
confier, to entrust.
confiture, *f.,* preserve, sweet-meat.
confondre, to confound, confuse, puzzle.
confortable, *m.,* comfort, com-fortableness.
congé, *m.,* leave of absence.
connaissance, *f.,* acquaintance, learning, acquirements.
connaisseur, *m.,* judge.
connaître, to know; **se — en,** to understand.
conquérir, to conquer, gain.
consacrer, to devote.
conseil, *m.,* counsel, advice.
conseiller, to advise, counsel.
conseiller, *m.,* adviser, counsel-lor.
conserve, *f.,* preserve.
conserver, to preserve, keep.
consistance, *f.,* consistency, shape.

console, *f.*, bracket.
consommer, to consummate, make.
constamment, always.
constance, *f.*, constancy.
constater, to prove, show.
conte, *m.*, story.
contempler, to look at.
contenance, *f.*, capacity, size.
contenir, to contain.
content, -e, satisfied.
contestation, *f.*, contest, lawsuit.
contester, to dispute.
contracter, to acquire.
contraire, *m.*, contrary.
contrarier, to vex, annoy.
contrariété, *f.*, annoyance.
contre, against.
contrôler, to watch, oversee.
controverse, *f.*, controversy, dispute.
convenable, proper, becoming.
convenir, to agree.
convention, *f.*, agreement, conditions.
convier, to invite.
convoi, *m.*, funeral procession.
convoiter, to covet, desire.
convoitise, *f.*, eager desire, covetousness.
copie, *f.*, copy.
coquin, *m.*, rogue.
corder, to agree, get along.
cordon, *m.*, string, cord.
corner, to din.
corniche, *f.*, cornice.
cornichon, *m.*, gherkin.
corps, *m.*, body; — **de logis**, building; — **pour —**, personally.
corvette, *f.*, sloop of war.
côté, *m.*, side, way, direction.
coter, to number, quote, mention.
couche, *f.*, bed.
couché, -e, in bed.
coucher, to lie, sleep; **se —**, to lie down.

coude, *m.*, elbow.
couler, to flow, run.
couleur, *f.*, color.
coup, *m.*, blow; — **de grâce**, finishing stroke; — **d'œil**, glance; **à — sûr**, infallible.
coupable, guilty.
couper, to cut.
cour, *f.*, court.
courir, to run.
court, -e, short.
courtisan, *m.*, courtier.
coussin, *m.*, cushion.
couteau, *m.*, knife.
coûter, to cost.
coutume, *f.*, custom, habit.
couverture, *f.*, cover, covering.
couvrir, to cover.
craindre, to fear, dread.
crainte, *f.*, fear.
crayon, *m.*, pencil.
crayonner, to draw, sketch.
créer, to create, make.
crème, *f.*, cream.
creuser, to dig, furrow, meditate on, inquire into, rack (*la cervelle*).
creux, *m.*, hollow.
crever, to die.
cri, *m.*, cry, scream.
crier, to cry, scream.
crise, *f.*, crisis.
cristal, *m.*, glass.
crochet, *m.*, hook.
crochu, -e, hooked.
croire, to believe, think.
croiser, to cross.
croisière, *f.*, cruise, expedition.
croître, to grow, increase.
cruel, -le, cruel.
cruellement, cruelly.
cuire, to cook.
cuisine, *f.*, kitchen.
culte, *m.*, religion, worship.
cupidité, *f.*, cupidity, desire.
cure, *f.*, living, parish.
curé, *m.*, priest.
curieu-x, -se, curious.

D

dada, *m.*, hobby.

daller, to pave.

dame, *f.*, lady.

damné, –e, confounded.

débat, *m.*, dispute, strife.

débris, *m.*, remains.

début, *m.*, beginning.

décès, *m.*, death.

déchirer, to tear, destroy.

déchoir, to decay, decline.

décider (se), to resolve.

décoloré, –e, discolored, faded.

décomposer, to disorder, change.

déconsidérer, to discredit.

décorer, to decorate, adorn.

découvrir, to discover.

dédain, *m.*, disdain, scorn.

dédier, to dedicate.

défaillance, *f.*, faint, swoon.

défaire, to undo.

défaite, *f.*, defeat.

défaut, *m.*, defect, fault.

défaveur, *f.*, disfavor, discredit.

défendre, to defend, forbid; se
— de, to help.

défier (se), to distrust.

défunt, –e, deceased.

déguster, to taste.

dehors, out; en —, outside.

déjà, already.

déjeuner, *m.*, breakfast.

déjouer, to baffle.

delà, beyond; au —, on the
other side.

délaisser, to forsake.

délicat, –e, tender.

délicieusement, delightfully.

délier, to loosen.

délit, *m.*, offence.

demain, to-morrow.

demander, to ask.

démarche, *f.*, step, proceeding.

démêler, to clear up, settle.

déménagement, *m.*, removal,
moving.

déménager, to move.

démenti, *m.*, contradiction, denial.

démettre de (se), to resign.

demeure, *f.*, abode, dwelling.

demeurer, to live, remain.

demi, –e, half.

demoiselle, *f.*, young lady.

démontrer, to prove.

dent, *f.*, tooth.

dénué, –e, destitute, void.

départ, *m.*, departure.

dépasser, to go beyond.

dépecer, to dissect, demolish.

dépendance, *f.*, dependence.

dépens, *m. pl.*, expense.

dépenser, to spend, expend.

déplaire, to displease.

déplanter, to uproot.

déployer, to display.

dépouille, *f.*, spoil, leavings.

dépourvu, –e, destitute, de-
prived.

depuis, since, from, for.

député, *m.*, deputy, representa-
tive.

déranger, to displace, disturb.

derni–er, –ère, last, final.

dérober, to hide.

dérouler, to develop, unfold.

derrière, behind.

dès, from; — que, as soon as.

désaccord, *m.*, disagreement.

désagrément, *m.*, unpleasant-
ness.

désaveu, *m.*, disavowal, denial.

descendre, to go down, bring
down.

désert, –e, solitary.

désert, *m.*, waste, wilderness.

désespérant, –e, discouraging,
crushing.

désespérer, to despair.

désespoir, *m.*, despair.

déshériter, to disinherit.

désigner, to designate, point out.

désir, *m.*, desire, wish.

désistement, *m.*, relinquishment,
giving up.

désister de (se), to give up.

désolé, -e, broken-hearted, in despair.

désordre, *m.,* disorder.

dessein, *m.,* design, plan.

desservir, to remove, connect, reach.

dessin, *m.,* drawing, plan.

dessinateur, *m.,* draughtsman, artist.

dessiner, to draw, form, outline.

dessous, under.

dessus, on, upon.

détenir, to detain.

détour, *m.,* turning, subterfuge.

détruire, to destroy, ruin.

dette, *f.,* debt.

deuil, *m.,* mourning.

deux, two.

deuxième, second.

devant, before; *n. pl.,* advance, initiative.

devenir, to become, grow.

deviner, to guess, see through.

dévoiler, to reveal.

devoir, *m.,* duty.

devoir, to owe, be, must, ought.

dévorer, to devour.

dévot, -e, devout, devout person.

dévouement, *m.,* devotion, self-denial, sacrifice.

dévouer, to devote, sacrifice.

diable, *m.,* devil.

diagnostic, *m.,* diagnosis.

diantre, the deuce.

dicter, to dictate.

dieu, *m.,* God.

difficile, hard.

difficulteu-x, -se, peculiar, peevish.

digne, worthy, dignified.

dîner, *m.,* dinner.

dire, to tell, say.

directeur, *m.,* chief, head.

diriger, to direct.

discrètement, cautiously.

discuter, to discuss.

disgrâce, *f.,* misfortune.

disloquer, to disarrange.

disputer, to argue, dispute.

dissiper, to dispel.

distiller, to distil, manufacture.

distingué, -e, eminent.

distribuer, to distribute, arrange.

distribution, *f.,* division, arrangement.

divers, -e, various.

divorcer avec, to get rid of.

dix, ten.

dix-huit, eighteen.

dix-neuf, nineteen.

dix-sept, seventeen.

doigt, *m.,* finger.

dol, *m.,* deceit, fraud.

domaine, *m.,* estate.

domicile, *m.,* home.

dominer, to prevail.

don, *m.,* gift.

donc, therefore, then.

donner, to give.

dont, whose, of which.

doré, -e, gilt.

dormir, to sleep.

dos, *m.,* back.

dose, *f.,* portion, supply.

dot, *f.,* dowry.

doucement, gently, kindly.

doucereu-x, -se, sweet, soft.

douceur, *f.,* sweetness, good nature, pleasure.

douche, *f.,* shower-bath.

douer, to endow.

douleur, *f.,* pain; sorrow.

doute, *m.,* doubt.

douter, to doubt; **se —,** to suspect.

dou-x, -ce, sweet, kind, gentle.

douzaine, *f.,* dozen.

douze, twelve.

drame, *m.,* drama.

dresser, to draw up, construct.

droit, -e, straight, right.

droit, *m.,* right, law, claim, fee.

duquel = de lequel.

dur, -e, hard, harsh, disagreeable.

durant, during.

durée, *f.*, duration, length.
durer, to last.

E

eau, *f.*, water.
ébahi, –e, wondering, amazed.
ébène, *f.*, ebony.
éblouir, to dazzle, charm.
écarté, –e, remote, lonely.
ecclésiastique, *m.*, priest, clergy-
    man, ecclesiastic.
échafaud, *m.*, scaffold.
échange, *m.*, exchange.
échanger, to exchange.
échapper, to escape.
échec, *m.*, check, defeat.
échiquier, *m.*, chess-board.
échoir, to fall, come due.
éclaircir, to clear up, light up.
éclairer, to enlighten.
éclat, *m.*, brightness.
école, *f.*, school.
économie, *f.*, saving.
écorce, *f.*, bark, outside.
écouler (s'), to pass, elapse.
écouter, to listen, listen to, hear.
écraser, to crush.
écrier (s'), to exclaim.
écrire, to write.
écrit, *m.*, writing.
écu, *m.*, *obsol. coin*, crown, dollar.
écueil, *m.*, rock, danger.
écume, *f.*, froth, foam.
effaré, –e, frightened.
effet, *m.*, effect, fact, deed.
effilé, –e, sharp.
efforcer (s'), to try.
effrayer, to frighten.
effroi, *m.*, fright, terror.
effroyable, horrible.
égal, –e, equal.
également, equally, alike, like-
    wise.
égard, *m.*, consideration, respect;
    eu — à, in consideration of.
église, *f.*, church.
égoïsme, *m.*, selfishness.

égoïste, selfish; *n.*, egotist.
égratigner, to scratch.
eh bien! well!
élégiaque, disconsolate.
élevé, –e, high, elevated.
élever, to raise; s'—, to rise.
éloigné, –e, distant, remote.
embarquer, to engage.
embarras, *m.*, embarrassment.
embarrasser, to embarrass, ob-
    struct, clog.
embellir, to embellish, beautify.
embonpoint, *m.*, corpulence,
    stoutness.
embraser, to kindle, light.
émérite, expert.
emmener, to take away.
empaqueter, to pack, wrap.
emparer de (s'), to seize.
empêcher, to prevent, hinder.
empire, *m.*, power, influence.
emplacement, *m.*, place.
emplette, *f*, purchase.
employer, to use.
emporter, to carry away.
empreint, –e, marked, stamped.
empreinte, *f.*, mark, stamp.
ému, –e, moved, affected.
en, of him, of her, of it, of them;
    like.
encadrer, to frame, insert.
enchanter, to charm, delight.
encombrer, to obstruct, fill up.
encore, yet, again.
endormir (s'), to fall asleep.
endroit, *m.*, place.
endurer, to bear.
enfant, *m.*, child.
enfanter, to develop, produce.
enfer, *m.*, hell.
enferrer, to entangle, commit.
enfin, finally, in short.
enfoncer, to sink, thrust.
enfuir (s'), to escape, pass away.
engager, to bind, persuade; s'—,
    to begin, entangle.
énigme, *f.*, riddle.
enivrer, to intoxicate.

enlèvement, *m.*, removal.
enlever, to remove.
ennemi, *m.*, enemy.
ennemi, *-e*, hostile.
ennui, *m.*, weariness, dullness.
ennuyer, to tire, weary.
énorme, huge.
enquérir (s'), to inquire.
ensemble, together.
entamer, to begin, approach.
entendre, to hear, understand, intend; s'—, to have an understanding.
entente, *f.*, understanding.
enterrement, *m.*, funeral.
enterrer, to bury.
entièrement, entirely.
entortillé, *-e*, confused, involved.
entourer, to surround.
entraîner, to take, take along.
entre, between, among.
entrée, *f.*, entrance.
entrefaites; sur ces —, meanwhile.
entremise, *f.*, intervention.
entrer, to enter.
entretenir, to keep.
envelopper, to wrap.
envers, towards, to.
envie, *f.*, wish, desire.
environ, about.
envoyer, to send.
épanouir, to expand, bloom.
épée, *f.*, sword.
éperon, *m.*, spur.
époque, *f.*, time.
épouser, to espouse, adopt.
épouvanter, to frighten.
épreuve, *f.*, test.
épris, *-e*, enamored, in love.
équivoque, equivocal, doubtful.
ergo, therefore.
errant, *-e*, wandering.
escalier, *m.*, stairs, stairway.
esclave, *m. f.*, slave.
espace, *m.*, space.
espèce, *f.*, species, kind.

espérance, *f.*, hope.
espérer, to hope.
espionnage, *m.*, spying.
espoir, *m.*, hope.
esprit, *m.*, spirit, mind, sense, understanding; — de corps, fellow-feeling, party spirit.
esquisser, to sketch.
essayer, to try.
essuyer, to wipe, dust.
estime, *f.*, esteem, estimation.
estimer, to value.
estomac, *m.*, stomach.
établir, to establish, fix, settle, state.
étage, *m.*, story, floor.
état, *m.*, state, condition.
étau, *m.*, vise.
éteindre, to extinguish, suppress, end; s'—, to go out.
étendre, to expand, extend.
étendue, *f.*, extent.
éternellement, for ever.
étoile, *f.*, star.
étonner, to astonish.
étouffer, to suffocate, stifle.
étourderie, *f.*, thoughtlessness.
étrangement, greatly.
étrang–er, *-ère*, strange, foreign.
être, to be.
être, *m.*, being.
étroit, *-e*, narrow.
étude, *f.*, study, office.
étudier, to study.
eux, they, them.
évaluer, to value, appraise.
évangile, *m.*, Gospel.
évêché, *m.*, bishopric.
éveiller, to wake.
événement, *m.*, event.
évêque, *m.*, bishop.
évidemment, evidently.
éviter, to avoid.
examen, *m.*, examination.
exciter, to stir up, stimulate.
exercer, to exercise, practise.
exigence, *f.*, claim, demand.

exiger, to demand.

exiler, to exile, banish.

existence, *f.*, life, way of living.

expansion, *f.*, good nature.

expédier, to send off.

explication, *f.*, explanation.

expliquer, to explain.

exploit, *m.*, writ, summons.

exposer, to expose, relate.

exposition, *f.*, exposure; **à l'— de,** exposed to.

exprimer, to express.

extérieur, *m.*, outside, appearance.

F

facile, easy; **— à vivre,** easy to live with.

facilement, easily.

factieu-x, –se, turbulent.

faible, weak, insignificant, slight.

faiblement, faintly, slightly.

faiblesse, *f.*, weakness, feebleness.

faim, *f.*, hunger.

faire, to make, do, cause; **— tort,** to deprive.

fait, *m.*, fact; **tout à —,** altogether.

falloir, must, to be necessary, be obliged.

fameu-x, –se, famous.

familièrement, familiarly.

famille, *f.*, family.

fasciner, to fascinate.

fatiguer, to tire out.

faubourg, *m.*, suburb.

fausset, *m.*, falsetto, high.

faute, *f.*, fault; **— de,** for want of.

fau-x, –sse, false.

favori, –te, favorite.

favoriser, to favor, aid.

feindre, to feign, pretend.

félicité, *f.*, happiness.

femelle, female.

femme, *f.*, woman, wife.

fenêtre, *f.*, window.

fer, *m.*, iron.

fermer, to shut, fasten, close.

feu, *m.*, fire.

feu, –e, late, deceased.

feuille, *f.*, leaf.

fiche, *f.*, ticket, counter.

fidèle, faithful.

fiel, *m.*, gall, rancor.

fi–er, –ère, proud.

fièrement, proudly, haughtily.

fierté, *f.*, pride.

fièvre, *f.*, fever.

figure, *f.*, face.

figurer, to represent; **se —,** to imagine.

fille, *f.*, girl, maid.

fils, *m.*, son.

fin, *f.*, end.

finesse, *f.*, shrewdness.

finir, to finish, end.

fixe, fixed.

fixement, fixedly, steadfastly.

flambeau, *m.*, candlestick.

flamme, *f.*, flame, fire.

flanelle, *f.*, flannel.

flatteu–r, –se, flattering.

flegmatique, phlegmatic, dull.

flétrir, to wither, destroy, blast.

fleur, *f.*, flower.

florissant, –e, blooming.

flûté, –e, soft, gentle.

foi, *f.*, faith; **ma —,** upon my word!

fois, *f.*, time; **à la —,** at the same time.

folie, *f.*, madness, folly.

fond, *m.*, bottom, depth.

force, *f.*, strength, power; **à — de,** by dint of.

formel, –le, formal, definite.

former, to form.

formule, *f.*, form.

formuler, to express.

fort, –e, strong, powerful.

fort, very, much, strongly.

fortement, strongly.

fosse, *f.*, grave.

fou, fol, −le, mad, foolish.

foudroyé, −e, thunderstruck.

fouiller, to dig, search.

foule, *f.*, crowd.

fourneau, *m.*, stove, furnace.

fournée, *f.*, batch.

foyer, *m.*, hearth, fire-place.

fraîcheur, *f.*, coolness, freshness.

fra−is, −îche, cool, fresh.

frais, *m. pl.*, expense, charge, burden.

franc, *m.*, franc (*coin worth about 19 cents*).

franc, −he, frank, open, sincere.

français, −e, French.

franchir, to pass over, cross.

franchise, *f.*, frankness, sincerity.

frapper, to strike, knock.

fréquemment, often.

frère, *m.*, brother.

friandise, *f.*, dainty, delicacy.

fripon, *m.*, rogue.

frissonner, to shiver, tremble.

froid, −e, cold.

froidement, coldly, deliberately.

froideur, *f.*, coldness, indifference.

froisser, to hurt, wound.

froncer, to wrinkle.

front, *m.*, forehead.

frotter, to rub, polish.

fuir, to flee, fly.

fumée, *f.*, smoke.

fumer, to smoke.

G

gagner, to gain, get, win, reach.

gai, −e, cheerful, pleasant.

gain, *m.*, winning.

galerie, *f.*, long narrow room.

garantir, to guarantee, protect.

garder, to keep, preserve.

garnir, to furnish.

gâteau, *m.*, cake.

gauche, left.

gaze, *f.*, gauze.

gênant, −e, troublesome, embarrassing.

gêner, to annoy, hinder.

génie, *m.*, genius, talent.

genou, *m.*, knee.

genre, *m.*, genus, species.

gens, *m.*, people.

gentilhomme, *m.*, nobleman.

geste, *m.*, gesture.

gesticuler, to gesticulate.

gîte, *m.*, home, lodging.

glace, *f.*, mirror.

glacer, to chill, paralyze.

gloire, *f.*, glory.

gorge, *f.*, throat.

gothique, Gothic.

goupillon, *m.*, holy-water sprinkler.

goût, *m.*, taste.

goûter, to enjoy.

goutte, *f.*, gout.

goutteux, *m.*, gouty person.

gouverner, to rule, manage.

grâce, *f.*, grace, thanks.

gracieu−x, −se, pleasant, gracious.

grade, *m.*, rank.

graisse, *f.*, fat.

grand, −e, great, large, tall.

grandement, greatly, very much, chiefly.

grandeur, *f.*, greatness, nobleness.

grandir, to grow, become taller.

grassouillet, plump, stout.

grave, serious, solemn.

gravité, *f.*, gravity, dignity.

gré, *m.*, will; bon — mal —, whether or no.

grièvement, seriously.

griffe, *f.*, claw.

griffer, to scratch.

gris, −e, gray, dull.

gronder, to scold.

gros, −se, large, big, coarse.

grosse, *f.*, document, contract.

grossir, to enlarge, swell.
guère (ne), hardly, scarcely.
guérir, to cure.
guerre, *f.*, war.
guerroyer, to wage war, fight.
gueule, *f.*, mouth, jaws.

H

[All words in which the *h* is aspirated, are marked thus '.]

habile, able, skilful.
habilement, skilfully.
habileté, *f.*, skill.
habillement, *m.*, clothing, dress.
habiller, to dress.
habit, *m.*, clothes.
habiter, to inhabit.
habitude, *f.*, habit, custom.
habituer, to accustom.
'hachure, *f.*, stripe.
'haillon, *m.*, rag.
'haine, *f.*, hate, hatred.
'haïr, to hate.
haleine, *f.*, breath.
'hardi, -e, bold.
'hardiment, boldly.
harmonier (s'), to harmonise.
'hasard, *m.*, chance.
'hasarder, to risk.
'hâter (se), to hasten.
'haut, -e, high, tall, loud.
'haut, *m.*, height, top.
'hauteur, *f.*, height, hill.
hébéter, to stupify, dull.
hélas! alas!
herbe, *f.*, grass, weed.
heure, *f.*, hour; tout à l'—, just
    now, immediately.
heureusement, fortunately.
heureu-x, -se, happy, fortunate.
hier, yesterday.
hirondelle, *f.*, swallow.
histoire, *f.*, history, story.
historien, *m.*, historian.
homme, *m.*, man.
honnête, honest, well bred.

'honte, *f.*, shame.
'honteu-x, -se, disgraceful.
horloge, *f.*, clock.
hormis, except.
horriblement, horribly.
'hors, out of; — d'état, unable
hôtel, *m.*, mansion.
hôtesse, *f.*, hostess, landlady.
'houlette, *f.*, crook, paddle.
huile, *f.*, oil.
'huit, eight.
humain, -e, human.
humblement, humbly.
humeur, *f.*, ill-humor.
humide, wet, moist.
humidité, *f.*, dampness.
hygiène, *f.*, health.

I

ici, here.
idée, *f.*, idea.
ignoré, -e, unknown.
ignorer, not to know.
image, *f.*, portrait.
imaginer (s'), to imagine.
imiter, imitate.
immérité, -e, undeserved.
immersion, *f.*, wetting.
immobile, motionless.
impatienter, to worry, annoy
implanter, to set.
impliquer, to involve.
impoli, -e, impolite.
importun, -e, tiresome.
impôt, *m.*, tax.
imprimer, to imprint, stamp.
incliner (s'), to bow, bend.
inconnu, -e, unknown.
inconséquent, -e, inconsistent.
inconvénient, *m.*, inconvenience
indécis, -e, undecided, wavering
indéfinissable, indefinable.
indemniser, to indemnify.
indescriptible, indescribable.
indice, *m.*, sign.
indicible, indescribable.

indiquer, to show, point out.
individu, *m.*, individual.
inégal, –e, unequal.
infaillible, infallible.
infailliblement, infallibly.
infidèle, unfaithful.
infini, –e, infinite.
infiniment, infinitely.
in-folio, *m.*, folio volume.
informé, *m.*, investigation.
inhabile, incapable.
inimitié, *f.*, hostility.
inouï, –e, unheard of.
inquiéter, to disturb.
inquiétude, *f.*, uneasiness.
insensible, unconscious, unfeeling.
insensiblement, gradually.
insidieu–x, –se, insidious, insinuating.
insignifiant, –e, insignificant, meaningless.
insolite, unusual.
instance, *f.*, suit.
instruction, *f.*, education.
instruire, to inform.
insu ; à son —, unwittingly ; à notre —, unknown to us.
intempérie, *f.*, inclemency.
intenter, to bring ; commence.
interdire, to forbid, prevent, suspend.
intérêt, *m.*, interest.
intérieur, –e, internal.
intérieur, *m.*, home.
interjection, *f.*, exclamation.
interpellation, *f.*, question, remark.
interrompre, to interrupt.
intervenir, to interfere.
intime, intimate, secret.
intrigant, *m.*, rogue, schemer.
inutile, useless.
inutilement, uselessly.
iris, *m.*, orris.
irrécusable, undeniable.
irréfléchi, –e, thoughtless.
ivre, intoxicated.

J

jadis, formerly.
jaillir, to burst out.
jalousie, *f.*, jealousy, envy.
jalou–x, –se, jealous, envious.
jamais, never, ever.
jambe, *f.*, leg.
jardin, *m.*, garden.
jaune, yellow.
jésuite, *m.*, Jesuit.
jeter, to throw, cast.
jeton, *m.*, counter.
jeu, *m.*, game, gambling.
jeune, young.
jeûne, *m.*, fasting, fast.
joie, *f.*, gladness.
joindre, to join, unite.
joli, –e, pretty.
jouer, to play, deceive, baffle.
jouet, *m.*, toy.
joueur, *m.*, gambler.
jouir, to enjoy.
jouissance, *f.*, pleasure, luxury.
jour, *m.*, day.
journal, *m.*, newspaper.
journali–er, –ère, daily.
journée, *f.*, day.
judiciairement, judicially.
juge, *m.*, judge.
jugement, *m.*, sentence, decision.
juger, to judge.
jurer, to swear.
jusque, to, even, till, so ; —-là, till then.
justifier, to justify.

L

là, there.
lâcheté, *f.*, cowardice, base action.
là-dessous, under that.
ladite, the said.
lais, *m.*, alluvion.
laisser, to leave, let, allow.
lait, *m.*, milk.
lampas, *m.*, silk damask.

lancer, to hurl, throw out.

langue, *f.,* tongue, language.

laquelle, which, who, that.

large, broad.

larynx, *m.,* nozzle.

lecture, *f.,* reading.

ledit, the said.

légataire, *m.,* legatee, heir.

lég-er, -ère, light, slight, small.

légèrement, lightly, slightly, slightingly.

legs, *m.,* legacy.

léguer, to leave, bequeath.

lendemain, *m.,* next day.

lent, -e, slow.

lentement, slowly.

lequel, who, whom, that, which.

leur, to them, their.

levée, *f.,* rising ground.

lever, to lift; **se —,** to get up.

lèvre, *f.,* lip.

libelle, *m.,* statement, writing.

lice, *f.,* lists, arena.

lier, to bind, unite.

lieu, *m.,* place, cause; **au — de,** instead of.

lieue, *f.,* league.

ligne, *f.,* line, path; *as a measure,* $\frac{1}{12}$ inch.

linge, *m.,* linen.

liquide, liquid, clear.

lire, to read.

lit, *m.,* bed.

litigieu-x, -se, litigious.

livre, *m.,* book.

livre, *f.,* pound, franc.

livrer, to give up.

logement, *m.,* lodgings.

loger, to lodge, live.

logiquement, logically.

logis, *m.,* house.

loi, *f.,* law.

loin, far, afar.

longévité, *f.,* longevity, long life.

longtemps, long, a long time.

longue, à la —, at length, in time.

loquacité, *f.,* talkativeness.

lors, then; **dès —,** from that time.

lorsque, when.

louer, to rent, hire, praise.

loup, *m.,* wolf.

lucide, clear.

lumière, *f.,* light, knowledge, judgment.

lune, *f.,* moon.

lutte, *f.,* struggle.

luxe, *m.,* luxury.

M

machinal, -e, mechanical, instinctive.

mademoiselle, *f.,* miss.

magnifique, splendid.

maigre, lean, thin.

maille, *f.,* mesh, stitch.

main, *f.,* hand.

maintenant, now.

maintenir, to maintain, keep.

mais, but, why.

maison, *f.,* house.

maître, *m.,* master.

maîtresse, *f.,* mistress.

majeur, -e, greater, dominant.

mal, *m.,* evil, harm.

mal, badly.

malade, sick, ill.

maladie, *f.,* illness.

maladroit, -e, awkward.

maladroitement, awkwardly.

malaise, *m.,* trouble, distress.

malgré, in spite of.

malheur, *m.,* misfortune.

malheureusement, unfortunately, unhappily.

malheureu-x, -se, unfortunate, unhappy.

malin, *m.,* sly, shrewd person.

malle, *f.,* trunk.

malle-poste, *f.,* mail-coach.

malveillant, -e, evil, malevolent.

manche, *f.,* sleeve.

mander, to send for, summon.

manger, to eat.

manie, *f.*, passion, desire.

manière, *f.*, manner, way; de —, so as.

manque, *m.*, lack.　[ing.

manquer, to miss, fail, be want-

mansuétude, *f.*, meekness.

marbre, *m.*, marble.

marbrer, to spot, dot.

marchand, *m.*, merchant.

marché, *m.*, market; bon —, cheapness.

marcher, to walk, move.

mari, *m.*, husband.

marier, to marry, join.

marin, *m.*, sailor.

marine, *f.*, navy.

marque, *f.*, sign, token.

marquer, to mark, show. [dom.

martyre, *f.*, martyr, *m.*, martyr-

masque, *m.*, mask, face.

matériel, –le, material, corporeal.

matière, *f.*, matter, reason.

matin, *m.*, morning.

matinée, *f.*, morning.

mauvais, –e, bad, ill.

mécanique, mechanical.

méchamment, maliciously.

méchant, –e, bad, wicked, evil.

méconnaître, to ignore.

médecin, *m.*, doctor.

médire, to speak ill, curse.

médisance, *f.*, slander, gossip, evil speaking.

méditer, to think, plan.

meilleur, –e, better, best.

mêler, to mingle, mix.

même, same, self, even; à —, able.

menacer, to threaten.

ménage, *m.*, household, home.

ménager, to prepare, make.

mener, to lead, take.

mensonge, *m.*, falsehood.

mentir, to lie.

menton, *m.*, chin.

mépris, *m.*, contempt.

mépriser, to despise.

mercredi, *m.*, Wednesday.

mère, *f.*, mother.

mériter, to deserve.

merveille (à), admirably.

mésintelligence, *f.*, misunderstanding.

mesquin, –e, mean, pitiful.

messe, *f.*, mass.

mesure, *f.*, measure, limit.

mesurer, to measure, estimate.

métamorphose, *f.*, transformation.

métropole, *f.*, cathedral city.

métropolitain, –e, metropolitan.

mettre, to put, put on; se —, to begin.

meuble, *m.*, furniture.

midi, *m.*, south.

mielleu–x, –se, sweet, bland.

mieux, better, best, more.

mignon, –ne, dear.

milieu, *m.*, middle, midst.

mille, thousand.

mince, thin, small.

minime, trifling, mean.

ministre, *m.*, minister, secretary.

minuter, to rough draught, write out.

minutieu–x, –se, minute.

misère, *f.*, trouble.

mobili–er, –ère, for furniture.

mobilier, *m.*, furniture.

mœurs, *f. pl.*, manners, customs.

moindre, less, least.

moine, *m.*, monk.

moins, less, least.

mois, *m.*, month.

moitié, *f.*, half.

mollet, –te, soft, light.

mollet, *m.*, leg.

moment, *m.*, instant; par — s, now and then.

momentané, –e, momentary.

momentanément, for the moment.

monarchique, monarchic.

mondain, –e, worldly.

monde, *m.*, world, society; **tout le** —, everybody.

monomanie, *f.*, monomania.

monseigneur, *m.*, his Lordship.

monsieur, *m.*, sir, gentleman; Mr.

montre, *f.*, watch.

montrer, to show, exibit.

monument, *m.*, building, construction.

moquer (se), to laught at.

moqueu–r, –se, mocking, sarcastic.

morbleu, zounds.

morceau, *m.*, bit, piece, morsel; **bon** —, dainty.

mordre, to bite.

mort, *f.*, death.

mort, –e, dead.

mortifier, to humble, punish.

mot, *m.*, word, answer.

mouche, *f.*, fly.

mouiller, to wet.

mourir, to die.

mousse, *f.*, moss.

mouton, *m.*, sheep; sheep-like, mild.

mouvement, *m.*, movement, feeling, impulse.

moyen, *m.*, means.

moyen, –ne, middle.

muet, –te, dumb, speechless.

mulot, *m.*, field-mouse.

mur, *m.* wall.

mûr, –e, mature.

N

naï–f, –ve, ingenuous, innocent.

naissance, *f.*, birth.

naître, to be born.

naïvement, plainly, candidly.

naïveté, *f.*, simplicity.

naquit, *from* naître.

nasillard, –e, canting.

naufrage, *m.*, shipwreck.

navrer, to wound, distress.

né, –e, born.

néanmoins, nevertheless.

nef, *f.*, nave.

négliger, to neglect.

neige, *f.*, snow.

net, –te, clean, neat.

nettement, clearly, plainly.

neuf, nine.

neu–f, –ve, new.

neutre, neutral.

neveu, *m.*, nephew.

nez, *m.*, nose.

ni, neither, nor.

niais, –e, silly, foolish.

niaisement, stupidly.

niaiserie, *f.*, silliness, trifle.

nicher, to nestle, nest.

nier, to deny.

noblesse, *f.*, nobility, nobleness.

noce, *f.*, wedding.

nœud, *m.*, knot.

noir, –e, black.

noircir, to blacken.

nom, *m.*, name.

nombre, *m.*, number.

nombreu–x, –se, numerous.

nomination, *f.*, appointment.

nommer, to name, call, appoint.

non, no, not.

nonobstant, notwithstanding.

nord, *m.*, north.

notamment, especially.

noter, to note, write down.

notre, our.

nourrir, to nourish, feed.

nourriture, *f.*, food.

nouveau, nouvel, nouvelle, new; **de** —, again.

nouveauté, *f.*, newness, novelty.

nouvelle, *f.*, news.

noyer, *m.*, walnut-tree.

nu, –e, naked, bare.

nuance, *f.*, shade, gradation.

nuisible, detrimental, injurious.

nuit, *f.*, night.

nul, –le, no, not any.

nullité, *f.*, nullity, nonentity.

O

obéir, to obey.
objet, *m.*, object, end.
obscurcir, to obscure, darken.
obstiner (s'), to persist.
occulte, occult.
occultement, secretly.
occuper, to occupy.
œil, *m.*, eye.
œillade, *f.*, glance.
œnologie, *f.*, wine-making.
œuf, *m.*, egg.
œuvre, *f.*, work, deed.
offenser, to offend.
office, *m.*, service.
officieusement, kindly.
offrir, to offer, present.
oiseau, *m.*, bird.
oisi-f, –ve, idle.
ombre, *f.*, shade, shadow.
oncle, *m.*, uncle.
ongle, *m.*, nail, claw.
onze, eleven.
optique, *f.*, optics.
or, but, now.
orage, *m.*, storm.
orangé, –e, orange-colored.
oratoire, *m.*, oratory.
ordinairement, usually.
ordonner, to order, prescribe.
ordre, *m.*, order.
oreille, *f.*, ear.
orgueil, *m.*, pride.
orner, to adorn.
orphelin, –e, orphan.
oser, to dare, venture.
ôter, to take away, remove.
ou, or, either.
où, where, in which; when.
oubli, *m.*, neglect, forgetting.
oublier, to forget.
oui, yes.
ourdir, to plot, plan.
outrager, to offend.
ouvert, –e, open.
ouvrage, *m.*, work.
ouvrier, *m.*, workman.
ouvrir, to open.

P

paille, *f.*, straw, chaff.
pain, *m.*, bread, loaf; petit —,
roll.
pair, *m.*, peer.
paire, *f.*, pair, couple.
pairie, *f.*, peerage.
paix, *f.*, peace, quiet.
palais, *m.*, palace.
palier, *m.*, landing.
pâlir, to turn pale.
panier, *m.*, basket.
pantoufle, *f.*, slipper.
pape, *m.*, Pope.
papier, *m.*, paper.
paraître, to appear, seem.
parapluie, *m.*, umbrella.
parce que, because.
parchemin, *m.*, parchment, document.
parcourir, to travel over.
pardieu, zounds.
pardonner, to pardon.
pareil, –le, alike, similar, such.
parer, to adorn.
paresseu-x, –se, idle, indifferent.
parfait, –e, perfect, complete,
well-disposed.
parfaitement, perfectly, very
well.
parfois, sometimes.
parfum, *m.*, scent.
parler, to speak.
parmi, among.
paroisse, *f.*, parish.
parole, *f.*, word.
parquer, to pen up, confine.
parquet, *m.*, floor.
parrain, *m.*, godfather, sponsor.
part, *f.*, share, portion; faire
—, to tell; à —, aside.
partager, to share.
parti, *m.*, party, side.
participer, to have a share.
particuli-er, –ère, peculiar, private.
partie, *f.*, part, game.

partir, to go away.
partout, everywhere.
parure, *f.*, attire, dress.
parvenir, to arrive, succeed.
parvenu, *m.*, upstart.
pas, *m.*, step.
passant, *m.*, passer-by.
passé, -e, faded.
passer, to pass, spend.
passionner (se), to be eager.
pâté, *m.*, pie, pastry.
patiemment, patiently.
patin, *m.*, knob.
patte, *f.*, paw, foot, claw.
paupière, *f.*, eyelid.
pauvre, poor.
pavé, *m.*, pavement.
payer, to pay.
pays, *m.*, country.
paysage, *m.*, landscape.
paysan, *m.*, peasant, farmer.
pécher, to sin, transgress.
peindre, to paint, show, represent.
peine, *f.*, pain, grief, trouble; à —, hardly.
peinture, *f.*, painting, picture.
pendant, during.
pendre, to hang.
pendule, *f.*, clock.
pénétrer, to penetrate, enter.
pensée, *f.*, thought, idea.
penser, to think.
penseur, *m.*, thinker.
pension, *f.*, boarding.
pensionnaire, *m. f.*, boarder.
pensionnat, *m.*, boarding-school.
pente, *f.*, inclination, propensity.
perçant, -e, piercing.
percer, to appear.
perdre, to lose.
père, *m.*, father.
périodique, periodical.
périr, to perish.
permettre, to permit.
péroraison, *f.*, peroration.
perpétuellement, continually.

persienne, *f.*, shutter.
personne, *f.*, person; — **(ne),** nobody.
perspective, *f.*, prospect.
perspicacité, *f.*, shrewdness.
perte, *f.*, loss, ruin.
pesant, -e, heavy, weighty.
peser, to weigh, hover.
petit, -e, little, small.
petitesse, *f.*, smallness, meanness, trifle.
peu, little, few, lack; à — près, nearly.
peuple, *m.*, common people.
peur, *f.*, fear.
peut-être, perhaps.
phénomène, *m.*, phenomenon.
phrase, *f.*, sentence.
physionomie, *f.*, physiognomy, look, face, expression.
picoterie, *f.*, teasing, bickering.
pièce, *f.*, piece, room, paper, document.
pied, *m.*, foot.
pierre, *f.*, stone.
piété, *f.*, piety.
piétiner, to tramp, trudge.
pieu-x, -se, pious, godly.
pincette, *f.*, tongs.
piquer, to prick, sting.
pitié, *f.*, pity.
place, *f.*, room, square.
plafond, *m.*, ceiling.
plaider, to argue, go to law.
plaindre, to pity; **se —,** to complain.
plainte, *f.*, complaint.
plaire, to please.
plaisanterie, *f.*, pleasantry, joke.
plaisir, *m.*, pleasure.
planer, to hover, sail.
planète, *f.*, planet.
planter, to plant, fix, set, stand.
plaqué, -e, stuck on.
plat, *m.*, dish.
plébéien, -ne, plebeian.
plein, -e, full.
pleurer, to weep, weep for.

pleurs, *m. pl.*, tears.
pli, *m.*, fold, wrinkle.
plier, to bend, yield, conform.
plomb, *m.*, lead.
pluie, *f.*, rain.
plupart, *f.*, most, most part; pour la —, mostly, generally.
plus, more, most; de — en — ; more and more.
plusieurs. several.
plutôt, rather.
poche, *f.*, pocket.
podagre, *m. f.*, gouty person.
poêle, *m.*, stove.
poésie, *f.*, poem.
point, *m.*, place, degree.
pointe, *f.*, point.
poisson, *m.*, fish.
poli, -e, polished, polite.
poliment, politely.
politesse, *f.*, politeness.
politique, *f.*, politics.
pomper, to suck up.
pompeu-x, -se, pompous.
pont, *m.*, bridge.
portail, *m.*, front, portal.
porte, *f.*, door.
porte-cochère, carriage entrance.
portée, *f.*, reach, scope, extent.
porte persienne, *f.*, shutter-frame.
porter, to carry, bear, give, incline; se —, to be.
poser, to place, set.
posséder, to possess.
poste, *f.*, post.
pouillé, *m.*, register, list.
pour, for, in order to.
pourquoi, why.
poursuivre, to pursue, persecute, go on.
pourvoi, *m.*, appeal.
pousser, to push, drive, urge.
poussière, *f.*, dust.
poussi-f, -ve, wheezy, asthmatic.
pouvoir, to be able, can.
pouvoir, *m.*, power.
prairie, *f.*, meadow.

pratique, *f.*, practice, custom.
pratiquer, to practise, frequent, keep with.
précieu-x, -se, valuable, dear.
précipitamment, hastily.
précisément, precisely, exactly.
préfet, *m.*, prefect.
prématurément, prematurely.
premier, *m.*, first.
prendre, to take; se — à, to take hold of, go about.
près, near, close; à peu — , almost.
presbytère, *m.*, rectory.
présentement, now, hereby.
presque, almost.
presse, *f.*, press.
prêt, -e, ready.
prétendre, to claim, pretend, try.
prétendu, *m.*, lover.
prétention, *f.*, claim.
prêter, to lend.
prêtre, *m.*, priest.
preuve, *f.*, proof, evidence.
prévenance, *f.*, kindness.
prévenir, to prevent.
prévoir, to foresee, provide for.
prier, to pray, beg.
primitivement, originally.
prise, *f.*, pinch.
privé, -e, private.
priver, to deprive.
prix, *m.*, price, value, worth, merit.
probité, *f.*, honesty.
problématique, doubtful.
procès, *m.*, lawsuit, trial.
prochain, -e, near, next, approaching.
prodigieu-x, -se, vast, very great.
prodiguer, to lavish, waste.
produire, to produce.
profond, -e, deep, profound.
profondément, profoundly.
profondeur, *f.*, depth.
proie, *f.*, prey; en — à, suffering from.

projeter, to cast.
promener (se), to walk.
promettre, to promise.
promiscuité, *f.*, variety.
promptement, quickly.
pronostic, *m.*, omen.
pronostiquer, to foretell.
propre, own, suitable, clean, neat.
propriétaire, *m.*, owner.
propriété, *f.*, property.
protect-eur, –rice, protector, pro-
   tectress.
protéger, to protect, patronize.
provenir, to proceed, come.
psaume, *m.*, psalm.
publi–c, –que, public.
puis, then, besides.
puisque, since.
puissance, *f.*, power, force.
puits, *m.*, well, pit.
pulmonie, *f.*, consumption.
punir, to punish.
pur, –e, pure, clear.

Q

quai, *m.*, wharf, platform.
quand, when.
quant à, as for.
quarante, forty.
quart, *m.*, quarter.
quasi, almost.
quatorze, fourteen.
quatre, four.
que, that, how, if, as, till, than,
   but.
quel, –le, what.
quelconque, whatever, any.
quelque, some, any; however.
quelquefois, sometimes.
quelqu'un, somebody.
querelle, *f.*, quarrel.
questionneu-r, –se, inquisitive.
quêter, to make a collection (*for
   the poor*).
queue, *f.*, tail.
qui, who, whom, which.

quiconque, whoever.
quinze, fifteen.
quitte, clear, even.
quitter, to leave, take off.
quoi, which, what; — que, whatever.
quoique, although.
quotidien, –ne, daily.
quotité, *f.*, amount.

R

rabâcher, to repeat.
rabat, *m.*, band (*for the neck*).
raccommoder, to reconcile.
racine, *f.*, root.
raconter, to relate, tell.
radoter, to rave, dote.
radoucir, to soften, appease.
raffermir, to harden, strengthen.
raffiné, –e, keen.
raide, stiff.
railleu-r, –se, jeering, mocking.
raison, *f.*, reason, cause; avoir
   —, to be right.
ramasser, to collect, gather.
rang, *m.*, range, station.
rapide, quick, quickly.
rappeler (se), to remember.
rapport, *m.*, relation, affinity,
   conformity.
rapporter, to report, tell.
rarement, seldom.
rassurer, to reassure.
ravir, to take away.
rayon, *m.*, shelf.
rayonnant, –e, shining.
réagir, to react.
recevoir, to receive.
rêche, *m.*, rough side.
rechercher, to seek.
récit, *m.*, story.
recommencer, to begin again.
réconcilier, to reconcile.
reconduire, to accompany to the
   door.
reconnaissance, *f.*, gratitude.

reconnaître, to recognize, find out, select.

reconstruire, to rebuild.

récrier (se), to express surprise.

recruter, to collect.

reçu, *m.*, receipt.

recueillir, to receive, entertain.

redouter, to fear.

réduire, to reduce.

refermer, to shut again.

réfléchi, –e, thoughtful.

réfléchir, to reflect.

réformer, to revise.

refroidir, to cool, get cold.

regard, *m.*, look.

regarder, to look at.

règle, *f.*, rule, ruler; en —, in proper form.

regretter, to regret.

régulièrement, regularly.

réjouir (se), to rejoice.

relativement, relating.

religieu–x, –se, monastic.

remarquer, to notice.

remercier, to thank.

remettre, to give, deliver, put off, entrust.

remonter, to take up, wind.

remords, *m.*, remorse.

remplacer, to replace.

remplir, to fill, fill up.

remporter, to gain.

rencontrer, to meet, find.

rendre, to return, make, reproduce; se —, to go.

renfermer, to confine.

renforcer, to reinforce.

renier, to disown.

renoncer (à), to give up.

renseignement, *m.*, information.

rente, *f.*, yearly income.

rentrer, to return.

renversement, *m.*, destruction, upsetting.

renverser, to overthrow.

renvoyer, to send away, dismiss.

répandre, to shed, spread.

repas, *m.*, meal.

répéter, to repeat.

répliquer, to reply.

répondre, to reply.

réponse, *f.*, answer.

reporter, to bring back, return, turn again.

repos, *m.*, quiet, tranquillity.

reprendre, to take again, resume, reply, remark.

réprimer, to repress.

reproche, *m.*, reproach, rebuke.

reproduire, to reproduce.

répugnance, *f.*, dislike.

requête, *f.*, petition.

résider, to live.

résigner, to resign.

résonner, to ring again.

résoudre, to resolve.

respectueusement, respectfully.

ressentir, to feel; se —, to feel the effects of.

resserrer, to compress, restrict.

ressouvenir; faire —, to remind.

ressusciter, to raise up, revive.

restaurer, to restore.

reste, *m.*, remainder; du —, besides.

rester, to remain.

résultat, *m.*, result.

résumer, to sum up.

rétablir, to restore.

retarder, to delay.

retenir, to keep.

retentir, to resound, ring, re-echo.

retentissement, *m.*, resounding, rattling.

retirer (se), to retire.

retour, *m.*, return, repayment, sans —, irretrievably.

retourner, to return; se —, to turn round.

retrait, *m.*, withdrawal.

retraite, *f.*, retreat.

rétréci, –e, narrow.

retrouver, to find.

réunion, *f.*, meeting.

réunir, to join, unite, assemble.

réussir, to succeed.

réussite, *f.*, success.

rêvasserie, *f.*, musing, dreaming.

réveil, *m.*, awaking.

réveiller, to wake, wake up.

révéler, to reveal.

revenir, to return.

rêver, to dream, think of.

rêverie, *f.*, revery.

révoquer, to recall; — en doute, to question.

rez-de-chaussée, *m.*, ground-floor.

rhume, *m.*, cold.

riche, rich.

ride, *f.*, wrinkle.

rideau, *m.*, curtain.

rider, to ripple, agitate.

ridicule, *m.*, ridiculous actions.

rien, *m.*, nothing, trifle.

rigueur, *f.*, severity, harshness.

risquer, to risk.

rire, to laugh.

robe, *f.*, gown; — de chambre, dressing-gown.

rocher, *m.*, rock.

roi, *m.*, king.

romain, -e, Roman.

rond, -e, round, plump.

rosée, *f.*, dew.

rouge, red.

rougeâtre, ruddy.

rouler, to roll, tumble.

rou-x, -sse, reddish, reddish brown.

royalement, royally, exactly.

rue, *f.*, street.

ruiner, to ruin, destroy.

ruisseau, *m.*, gutter.

rusé, -e, sly, foxy.

S

sabot, *m.*, wooden shoe.

sac, *m.*, sack, bag.

sacerdotal, -e, priestly.

sage, wise, prudent.

sagement, wisely, prudently.

sagesse, *f.*, wisdom, prudence.

saillie, *f.*, witticism, smart remark.

sain, -e, sound, healthy.

sainement, rationally, judiciously.

saint, -e, sainted, pious.

saisir, to seize, catch, understand.

saisissement, *m.*, shock.

salir, to stain, disgrace, besmirch.

salle, *f.*, hall, room; — à manger, dining-room.

salon, *m.*, parlor.

saluer, to bow to, greet.

sang, *m.*, blood.

santé, *f.*, health.

sardonique, sarcastic.

satisfaire, to satisfy.

sauf, except.

sauver, to save, rescue.

savoir, to know, know how, be able.

scène, *f.*, stage.

sciatique, *f.*, sciatica.

science, *f.*, knowledge.

scruter, to scrutinize, study.

sculpter, to carve.

sculpture, *f.*, carving.

séance, *f.*, session.

sec, sèche, dry, lean, thin, abrupt.

sèchement, dryly, bluntly.

sécher, to dry.

secours, *m.*, help.

séduire, to attract, win over.

sein, *m.*, bosom.

séjour, *m.*, stay, abode.

sel, *m.*, salt.

selon, according to.

semaine, *f.*, week.

semblable, like, such, similar.

sembler, to seem.

semelle, *f.*, sole.

semer, to sow, spread.

sénat, *m.*, senate, assembly.

sens, *m.*, sense, judgment, meaning.

sensibilité, *f.*, feeling, sensation.

sensible, perceptible, painful.
sentir, to feel, perceive, smell of.
séparer, to separate.
sept, seven.
serment, *m.*, oath.
serrer, to squeeze.
serrure, *f.*, lock.
servir, to serve, se —, to make use.
serviteur, *m.*, servant.
seuil, *m.*, threshold.
seul, -e, alone, single, only, sole.
seulement, only, solely.
sevrer, to deprive.
sexagénaire, sexagenarian.
si, if; so.
siège, *m.*, seat, chair.
sien, -ne, his, hers, its.
signe, *m.*, sign, mark, nod.
signer, to sign.
significati-f, -ve, expressive.
silencieusement, silently.
silencieu-x, -se, silent.
simuler, to imitate, look like.
sinistre, ominous.
situé, -e, situated.
sœur, *f.*, sister.
soie, *f.*, silk.
soif, *f.*, thirst.
soigneusement, carefully.
soigneu-x, -se, careful.
soin, *m.*, care, attention.
soir, *m.*, evening.
soirée, *f.*, evening reception, evening party.
soit, either, or, be it so.
soixante, sixty.
soleil, *m.*, sun.
solennel, -le, solemn.
solennellement, solemnly.
solitaire, *m.*, hermit, recluse.
sombre, dark, dismal.
somme, *f.*, sum.
sommeil, *m.*, sleep, nap.
sommet, *m.*, top.
somnolescent, -e, sleepy.
son, *m.*, sound, tone.
sonde, *f.*, sounding-line.

sonder, to sound, probe.
songe, *m.*, dream.
songer, to think.
sonner, to sound, sing, strike.
sonnerie, *f.*, ringing.
sonnette, *f.*, bell.
sonore, sonorous.
sort, *m.*, fate, lot.
sorte, *f.*, kind, way; en quelque —, as it were.
sortir, to go out, come out.
sot, -te, silly, foolish, stupid person.
sou, *m.*, cent.
soucieu-x, -se, anxious, full of care.
soudain, suddenly.
soufflet, *m.*, bellows.
souffrance, *f.*, suffering, pain.
souffrir, to suffer.
sonhait, *m.*, wish, desire.
souhaiter, to desire.
soulier, *m.*, shoe; — double, over-shoe.
soulte, *f.*, compensation.
soumettre, to submit, subject.
soumission, *f.*, submission.
soupçon, *m.*, suspicion.
soupçonner, to suspect.
souper, *m.*, supper.
sourcil, *m.*, eye-brow.
sourd, -e, deaf, secret, under-hand.
sourdement, secretly.
sourire, to smile.
sournoisement, slyly.
sous, under.
sous-entendu, understood, accepted.
soussigné, -e, undersigned.
soustraire (se), to escape.
soutane, *f.*, cassock, gown.
soutenir, to support.
souvenir (se), to remember.
souvent, often.
souverain, -e, supreme, final.
souverainement, thoroughly.
spirituel, -le, bright, clever.

118 VOCABULARY

squelette, *m.*, skeleton.
statuaire, *f.*, statuary.
statuer, to decree.
stipuler, to stipulate, arrange.
stupéfait, –e, stupefied, astonished.
subir, to undergo.
subitement, suddenly.
subtil, –e, subtle, keen, cunning.
subtilement, cunningly.
suc, *m.*, juice, sap.
succéder, to succeed, follow.
succession, *f.*, inheritance, estate.
successivement, in succession.
succinctement, briefly.
succomber, to succumb.
succulent, –e, rich, nourishing.
sucré, –e, sweetened.
suffire, to suffice, be sufficient.
suffisamment, sufficiently.
suffisant, –e, sufficient.
suggérer, to suggest.
suite, *f.*, consequence; par —, on account; sans —, unconnected.
suivant, according to.
suivre, to follow.
superficie, *f.*, surface, outside.
supplier, to beg.
supposer, to suppose, attribute.
sur, upon, on.
sûr, –e, sure.
surabondamment, abundantly.
surgir, to rise.
sur-le-champ, at once.
surplis, *m.*, surplice.
surprendre, to surprise, overtake.
surtout, especially.
survenir, to happen.

T

tabac, *m.*, snuff.
tabatière, *f.*, snuff-box.
tableau, *m.*, painting, picture.
tache, *f.*, spot, stain.

tâcher, to try.
tacitement, tacitly.
taffetas ciré, oiled silk.
taille, *f.*, size, shape.
taire (se), to remain silent.
tamiser, to sift.
tandis que, whilst, whereas.
tangente, *f.*, point of contact.
tant, so much, so many.
tante, *f.*, aunt.
tapage, *m.*, noise, racket.
tapis, *m.*, carpet; — de lit, rug.
tapisserie, *f.*, tapestry, needlework.
taquinerie, *f.*, persecution.
tard, late.
tarder, to delay.
tas, *m.*, heap, pile.
tasse, *f.*, cup.
taupinière, *f.*, mole-hill.
teinte, *f.*, tint, color.
tel, –le, such.
tellement, so.
témoigner, to show.
tempérer, to moderate.
tempête, *f.*, tempest, storm.
temps, *m.*, time, weather.
tendre, tender, affectionate.
tendre, to hold out.
teneur, *f.*, tenor, terms.
tenir, to hold, keep, take, belong.
tentative, *f.*, attempt, trial.
tenture, *f.*, hangings, curtains.
terminer, to end.
terne, dull, listless.
terrain, *m.*, ground.
terrasse, *f.*, terrace, platform.
terre, *f.*, earth.
territorial, –e, landed, in land.
testat–eur, –rice, testator, testatrix.
tête, *f.*, head.
thé, *m.*, tea.
thébaïde, *f.*, hermitage.
tige, *f.*, trunk, stem.
tigre, *m.*, tiger.
timbré, –e, stamped.

tiraillement, *m.*, pulling, twitch-ing.

tirer, to pull, pull out; se —, to get out.

tisonner, to stir the fire.

titre, *m.*, title, right, claim; à — de, by way of.

toile, *f.*, cloth, web.

toit, *m.*, roof.

tombe, *f.*, grave.

tombeau, *m.*, tomb; lit en —, square bedstead.

tomber, to fall.

ton, *m.*, tone, accent, key-note.

tondre, to shear.

tordre, to twist, warp.

tort, *m.*, wrong.

torturer, to torture, rack.

tôt, soon.

toucher, to touch.

toujours, always.

tour, *f.*, tower.

tour, *m.*, turn, trick.

Tourangeau, *m.*, inhabitant of Tours.

tourange-au, –lle, of Tours.

tourmenter, to torment.

tourner, to turn.

tournure, *f.*, figure, shape.

tousser, to cough.

tout, –e, all, whole, quite, every-thing.

tracas, *m.*, bustle turmoil, dis-order.

tracassi-er, –ère, mischief-maker.

trahir, to betray.

trait, *m.*, feature, reference, con-nection.

traiter, to treat.

trame, *f.*, plot, web.

trancher, to cut, settle, contrast.

transaction, *f.*, compromise, agreement.

transport, *m.*, transfer, carrying.

transporter, to transfer.

travail, *m.*, work, toil, paper.

travailler, to work.

travers (à), through.

traverser, to cross, go through.

treize, thirteen.

trente, thirty.

très, very.

trésor, *m.*, treasure, hoard.

tressaillement, *m.*, start, move-ment.

tribunal, *m.*, court.

trictrac, *m.*, (game of) backgam-mon.

triompher, to exalt, rejoice.

triste, sad.

tristement, sadly.

trois, three.

troisième, third.

tromper, to deceive; se —, to be mistaken.

trompette, *f.*, trumpet.

trompeu-r, –se, delusive, decep-tive.

trop, too, too much, too many.

trotter, to trot.

trouver, to find; se —, to be.

tudieu! zounds! heavens!

tuer, to kill.

tur-c, –que, Turkish.

tuyau, *m.*, pipe, tube.

typique, typical.

U

unique, only.

unir, to unite, join.

usé, –e, worn, worn out.

user, to use up, make use of.

usuel, –le, usual.

utile, useful.

V

va, *from* aller.

vaguement, vaguely.

vaincre, to conquer.

vaisseau, *m.*, ship, vessel.

valet, *m.*, manservant.

valeur, *f.,* value, worth, courage, importance.

valoir, to be worth; — **mieux,** to be better.

vanter, to praise, boast of.

vécût, *from* **vivre.**

végétal, *m.,* plant.

veille, *f.,* day before.

veiller, to watch, oversee.

velours, *m.,* velvet.

venir, to come; — **de,** to have just.

vent, *m.,* wind.

ventre, *m.,* stomach, abdomen.

vérification, *f.,* examination.

vérifier, to examine, verify.

vérité, *f.,* truth.

vernir, to varnish, glaze.

verre, *m.,* glass.

verrou, *m.,* bolt.

vers, towards.

vert, -e, green.

vertu, *f.,* virtue.

vertueu-x, -se, excellent.

vestige, *m.,* trace, remnant.

vêtement, *m.,* garment, clothes.

vêtir, to clothe.

veuve, *f.,* widow.

vicaire, *m.,* vicar.

vicariat, *m.,* vicarship.

vicier, to vitiate, corrupt.

vide, empty.

vide, *m.,* vanity, emptiness.

vie, *f.,* life.

vieillard, *m.,* old man.

vieillesse, *f.,* old age.

vierge, *f.,* virgin, maid.

vieux, vieil, vieille, old.

vi-f, -ve, keen.   [ously.

vigoureusement, greatly, vigor-

vigoureu-x, -se, vigorous.

ville, *f.,* town, city.

vin, *m.,* wine.

vingt, twenty.

visage, *m.,* face.

vite, quick, quickly.

vitré, -e, glazed; **porte — e,** glass door.

vivant; en son —, in his lifetime.

vivement, sharply, keenly.

vivre, to live.

vœu, *m.,* wish, desire.

voici, here is, here are.

voie, *f.,* way, means.

voilà, that is, there is, **there** are.

voile, *m.,* veil, mask.

voiler, to hide.

voir, to see.

voisin, *m.,* neighbor.

voiture, *f.,* carriage, coach.

voix, *f.,* voice.

volontairement, deliberate, deliberately.

volonté, *f.,* will.

volontiers, willingly.

vont, *from* **aller.**

vouer, to devote, consign.

vouloir, to will, want, demand; **s'en —,** to dislike; — **dire,** to mean.

voyage, *m.,* journey.

vrai, true, genuine.

vue, *f.,* sight, view, design.

Z

zèle, *m.,* zeal.

zélé, -e, zealous.